De witte vesting

ORHAN PAMUK

De witte vesting
Het huis van de stilte
Het nieuwe leven
Het zwarte boek
Ik heet Karmozijn
Sneeuw
Istanbul
De heer Cevdet en zonen
Het valies van mijn vader

Leverbaar bij Uitgeverij De Arbeiderspers

Orhan Pamuk

De witte vesting

Roman

Uit het Turks vertaald
door Veronica Divendal

Singel Pockets

Eerste druk 1993
Vierde druk (als Singel Pocket) 2007

Singel Pockets is een samenwerkingsverband tussen
BV Uitgeverij De Arbeiderspers, Uitgeverij Archipel,
Athenaeum—Polak & Van Gennep, Uitgeverij Balans,
Nijgh & Van Ditmar en Em. Querido's Uitgeverij BV

Oorspronkelijke titel: *Beyaz kale*
Uitgave: Can Yayinları, Istanbul

Omslagontwerp: Mijke Wondergem
Omslagfoto: Corbis

ISBN 978 90 413 3144 1 / NUR 311
www.singelpockets.nl

Voor
de goede zus
en goede mens
Nilgün Darvınoğlu
*(1961-1980)**

* De asterisken verwijzen naar de noten achter in het boek.

‘Geloven dat iemand, die onze belangstelling heeft gewekt, gewikkeld is in elementen van een leven dat ons onbekend is en dat een bekoring uitoefent evenredig aan die onbekendheid; en denken dat wij het leven alleen kunnen binnentreden middels de liefde van die persoon, wat betekent dat anders dan dat we verliefd geworden zijn?’

Marcel Proust (in de vertaling van Y. K. Karaosmanoğlu*)

Inleiding

Dit manuscript heb ik in 1982 gevonden op de bodem van een stoffige kist, boordevol sultansdecreten, kadasterregistraties, gerechtsakten en belasting- en staatsregisters, in het vervallen 'archief' van het Districtshuis van Gebze, waarin ik gewoonlijk iedere zomer zo een weekje rondwroette. Het lag tussen de verbleekte staatsdocumenten als een parel te glanzen en trok direct mijn aandacht door het aan mooie dromen herinnerende blauwe marmerpapier, waarmee het was ingebonden, en door het goed leesbare handschrift, waarin het was geschreven. Op de eerste pagina van het boek stond een opschrift, ik denk van een vreemde hand: 'De stiefzoon van de dekbeddenmaker'. Er was geen andere titel aanwezig. In de marges en op de lege plekken in het boek waren op een kinderlijke manier mensen getekend met kleine hoofden, gekleed in gewaden met rijen knoopjes; ik las het meteen en met veel plezier. Omdat ik wél erg enthousiast was over het verhaal, maar geen zin had om het helemaal in een schrift over te schrijven, heb ik misbruik gemaakt van het vertrouwen van de kantoorbediende, die me te zeer respecteerde om me er eventueel voor te laten arresteren – in een onbewaakt ogenblik viste ik het handschrift uit die puinhoop die zelfs de jonge districtsgouverneur geen archief kon noemen, en propte het snel in mijn tas.

Aanvankelijk wist ik eigenlijk niet goed wat anders ermee te doen dan het steeds maar weer opnieuw te lezen. Omdat mijn twijfel aan de historische juistheid van het manuscript niet verdween, wilde ik me liever concentreren op het verhaal dat erin verteld werd op zich, dan dat ik me ging verdiepen in zijn wetenschappelijke, culturele, antropologische of 'geschiedkundige' waarde. En dit bracht mij ook bij de persoon van de verhaalschrijver zelf.

Aangezien ik, met een aantal kameraden, gedwongen was geweest de universiteit te verlaten, had ik het roer omgegooid en gekozen voor het vak van mijn grootvader: het schrijven van encyclopedieen. Nu kwam de gedachte bij me op over de auteur van dit boek een artikel te schrijven voor de Encyclopedie van 'Beroemde Personen'. Het historische gedeelte van deze encyclopedie viel onder mijn verantwoordelijkheid.

Zodoende besteedde ik al de tijd die de encyclopedie en de drank mij lieten aan dit werk. Bij het raadplegen van bronnen uit de betreffende periode viel me meteen al op dat sommige gebeurtenissen die in het verhaal verteld werden niet helemáál strookten met de werkelijkheid: er blijkt bijvoorbeeld inderdaad een grote brand te hebben gewoed in Istanbul tijdens het vijf jaar durende grootvizierschap van Köprülü*, maar er is nergens iets te vinden over een epidemie die serieus genoeg was om op schrift gesteld te worden, en al helemaal niets over een omvangrijke pestepidemie, waar in het boek sprake van is. Verder waren de namen van de viziers van de betreffende periode soms verkeerd geschreven en sommige zelfs helemaal verhaspeld, en bovendien waren er namen verwisseld! Wat betreft de namen van de oppersterrenwichelaars, die klopten niet met de namen uit de paleisregisters, maar omdat dit punt een bijzondere plaats inneemt in het boek, heb ik hier verder geen aandacht aan besteed. Aan de andere kant echter stemden de gebeurtenissen in het boek over het algemeen redelijk overeen met onze historische 'data'. Zelfs in kleine details kon ik die 'juistheid' soms vaststellen, zoals bijvoorbeeld de moord op de oppersterrenwichelaar Hüseyin Efendi; de hazenjacht van Mehmet IV* op het landgoed Mirahor; en ook de vertelstijl, die leek op die van Naima.* Het leek me niet onmogelijk dat de schrijver, die een duidelijk genoegen had geschept in lezen en fantaseren, voor zijn verhaal eerdergenoemde bronnen en bovendien nog een hoop andere boeken ter hand had genomen en er zo het een en ander aan had ontleend. Hij zou bijvoorbeeld van Evliya Çelebi*, die hij zei persoonlijk gekend te hebben, alleen de boeken gelezen kunnen hebben. Maar bedenkend dat net zo goed het omgekeerde waar kon zijn, zoals uit andere voorbeelden misschien weer zou blijken, probeerde ik de hoop niet op te geven een spoor te vinden van de schrijver van het verhaal; echter, het onderzoek dat ik verrichtte in de bibliotheken van Istanbul deed mijn hoop voor het grootste deel vervliegen. Van alle verhandelingen, alle boeken, die volgens het verhaal tussen 1652 en 1680 waren aangeboden aan Mehmet IV, kon ik er niet één, maar dan ook niet één, vinden; noch in de Bibliotheek van het Topkapi Paleis, noch in andere bibliotheken, waar ze mogelijk konden zijn beland. Ik vond maar één aanknopingspuntje: in die bibliotheken trof ik wel andere werken aan van de 'linkshandige kalligraaf', waarover gesproken wordt in het verhaal. Ik ging daar nog een tijdlang achteraan, maar ten slotte had ik er genoeg van; van de Italiaanse universiteiten die ik onder een regen van brieven had bedolven, ontving ik ook alleen maar antwoorden, die al mijn hoop vernietigden; en de naspeuringen, die ik deed op de kerkhoven van Gebze, Cennethisar en Üsküdar, met in het achterhoofd de naam van de schrijver – die hoewel niet op het boek vermeld, wel uit het verhaal op te maken viel – bleven eveneens zonder succes. Toen hield ik op met spoorzoeken en schreef het artikel voor de encyclopedie puur op grond van het verhaal zelf. Zoals ik al vreesde werd het niet opgenomen, niet vanwege het ontbreken van wetenschappelijk bewijsmateriaal, maar omdat men de beschreven persoon niet beroemd genoeg vond.

Mijn gehechtheid aan het verhaal nam daardoor misschien nog wel toe. Ik heb zelfs even serieus overwogen om ontslag te nemen, maar daarvoor was ik toch te verknocht aan mijn werk en aan mijn collega's. Een periode brak aan, waarin ik aan iedereen die het maar wilde horen, enthousiast het verhaal navertelde, waarbij ik niet zei dat ik het gevonden had, maar deed alsof ik het zelf had geschreven. Om het nog interessanter te maken, had ik het over de symbolische waarde van het verhaal, dat het in wezen ook ging over onze werkelijkheid van vandaag de dag, dat ik het heden dankzij dit verhaal beter begreep, enzovoort. De jongeren met wat meer belangstelling voor onderwerpen als politiek, geweld, Oost-

West, democratie, waren wel geïnteresseerd in wat ik allemaal te vertellen had, maar toch waren ook zij, net als mijn cafévrienden, mijn verhaal al weer snel vergeten. Een vriend van mij, een hoogleraar, zei, toen hij me het handschrift teruggaf dat hij op mijn aandringen had bekeken, dat er in de oude houten huizen in de achterafstraatjes van Istanbul nog zeker duizenden handschriften te vinden waren met dit soort verhalen. Als de bewoners ze niet, in de mening dat het hier een koran betrof, ergens hoog op een kast hadden gelegd, dan gebruikten zij ze waarschijnlijk blaadje voor blaadje om er hun kachel mee aan te steken.

En zo besloot ik dan het verhaal, dat ik steeds weer opnieuw had gelezen en nog eens herlezen, zelf te publiceren, hiertoe ook flink aangemoedigd door zeker meisje met bril en een eeuwige sigaret tussen de vingers. De lezers zullen zien dat ik bij het omzetten van het boek in hedendaags Turks geen scrupules heb gehad over de stijl: ik las steeds een paar zinnen in het handschrift dat ik op een tafel had neergelegd, liep dan naar een andere tafel in een andere kamer, waarop mijn schrijfpapier lag en probeerde dan de betekenis die in mijn hoofd was achtergebleven in hedendaagse bewoordingen na te vertellen. De naam van het boek heb niet ík bedacht, maar de uitgeverij die bereid was het boek uit te geven. Wie de opdracht aan het begin ziet, zal zich misschien afvragen of daar nog een bijzondere betekenis aan gehecht moet worden. Overal verbanden willen zien, is denk ik de ziekte van onze tijd. Omdat ik zelf ook aangestoken ben door deze ziekte, publiceer ik dit verhaal.

Faruk Darvınoğlu*

I

We waren onderweg van Venetië naar Napels, toen er plotseling Turkse schepen voor onze boeg verschenen. Wij waren welgeteld met drie schepen, maar aan hun uit de mist opdoemende galeien leek geen einde te komen. Hevige opwinding bij ons aan boord was het gevolg, onze roeiers, voor het merendeel Turken en Moren, slaakten vreugdekreten; wij, daarentegen, kregen het knap benauwd. Ons schip wendde net als de andere twee zijn neus naar het westen, naar de kust, maar het lukte ons niet om zoals zij meer vaart te maken. Onze kapitein, bang voor zijn hachje indien hij gevangen genomen zou worden, kon op de een of andere manier het bevel niet over zijn lippen krijgen de zweep harder over de galeislaven te laten gaan. Later heb ik vaak gedacht dat het de angst van die kapitein is geweest, die mijn leven heeft veranderd.

Nu ben ik echter van mening dat mijn leven in die tijd juist wezenlijk zou zijn veranderd, als onze kapitein toen níet door die kortstondige angst was bevangen. Veel mensen weten dat zoiets als een voorbestemd leven niet bestaat en dat alle levensverhalen in wezen stuk voor stuk een aaneenrijging zijn van toevalligheden. Maar toch zullen zelfs zij die deze waarheid onderschrijven, in een bepaalde fase van hun leven tot de conclusie komen, dat de gebeurtenissen die zij als toevallig beschouwden toen zij ze meemaakten als zij erop terugkijken zonder uitzondering onvermijdelijk blijken te zijn geweest. Ik ben ook in zo'n fase beland. Nu ik aan een oude tafel mijn boek tracht te schrijven en me de kleuren van de Turkse schepen weer voor de geest haal zoals ze als geestverschijningen uit de mist te voorschijn kwamen, denk ik dat dit bij uitstek het moment is om een verhaal te beginnen en het in één ruk, zonder adempauze, op papier te zetten.

Toen de kapitein onze twee andere schepen tussen de Turkse door zag glippen en in de mist verdwijnen, kreeg hij weer hoop en kon hij, niet in de laatste plaats ook omdat wij hem daartoe dwongen, de moed opbrengen de slaven op te laten zwepen, maar het was al te laat. Zelfs met de zweep kon hij niet meer tot de slaven doordringen die in te grote opwinding verkeerden in hun hartstochtelijke drang naar vrijheid. Meer dan tien Turkse schepen tegelijk kwamen door die zenuwslopende muur van mist op ons af. Nu gaf onze kapitein wél het bevel tot de strijd, maar, geloof ik, niet zozeer om de vijand dan wel om zijn eigen angst en schaamte te verslaan. Terwijl hij de slaven meedogenloos liet afzwepen, beval hij de kanonnen klaar te maken, maar zijn te laat ontvlamde strijdlust doofde al snel weer uit. Ons schip werd langszij zwaar onder vuur genomen en als we ons niet meteen overgaven zouden we weldra zinken; we besloten de witte vlag te hijsen.

Terwijl we in een kalme zee de Turkse schepen afwachtten, ging ik naar beneden naar mijn hut. Ik ruimde mijn spullen op alsof ik bezoek van wat vrienden verwachtte en niet vijanden die mijn hele leven zouden veranderen; ik opende mijn kleine boekenkist en bladerde verstrooid en in gedachten wat in mijn boeken. Toen ik de bladzijden van een foliant omsloeg die ik in Florence voor veel geld had kunnen bemachtigen, werden mijn ogen vochtig; van buiten hoorde ik geschreeuw, onrustig voetgeschuifel en lawaai; ik besefte dat ik niet veel later van het boek dat ik in mijn handen had gescheiden zou worden, maar daar wilde ik niet aan denken; ik wilde alleen denken aan wat er op die bladzijden geschreven stond. Alsof mijn hele verleden, dat ik niet wilde verliezen, tussen de gedachten, zinnen en vergelijkingen in dat boek besloten lag. Murmelend als in gebed las ik de zinnen waar mijn ogen toevallig aan bleven haken en ik wilde het hele boek zo wel in mijn geheugen griffen, zodat ik me naderhand mijn verleden niet voorgoed gekleurd zou herinneren door hun komst en al wat zij mij zouden aandoen, maar met de woorden van een met liefde uit het hoofd geleerd boek.

In die tijd was ik een ander mens, die door zijn moeder, verloofde en vrienden bij een andere naam werd aangesproken. Nog steeds zie ik in mijn dromen bij tijd en wijle diegene die ik ooit was, of misschien de persoon zoals ik mij die nu indenk en dan word ik zwetend wakker. Die mens die ons de verschoten kleuren in herinnering brengt, de droomkleuren van die jarenlang door ons verzonnen niet bestaande landen, dieren die nooit geleefd hebben en ongelooflijke wapens, die mens was toen drieëntwintig jaar, had in Florence en in Venetië 'kunsten en wetenschappen' gestudeerd en meende verstand te hebben van astronomie, wiskunde, natuurkunde en schilderkunst; natuurlijk was hij een zelfingenomen jongeman; de dingen die vóór hem waren gedaan had hij dan wel grotendeels in zich opgezogen, maar hij haalde er ook zijn neus voor op; hij twijfelde er niet aan of hij zou het allemaal beter doen; hij was immers zonder gelijke; hij leefde in de voortdurende overtuiging dat hij slimmer en creatiever was dan iedereen. Kortom, hij was een heel gewone jongen. Het doet mij pijn om te bedenken, zoals ik zo vaak deed in tijden dat ik het nodig had om mij een verleden te verzinnen, dat ik die jongeman ben geweest die met zijn geliefde sprak over zijn passies en zijn plannen, over de wereld en de wetenschap; die jongeman die het heel natuurlijk vond dat zijn verloofde hem aanbad. Maar ik troost mijzelf ermee dat van de mensen die deze schrijfsels van mij geduldig uitlezen, er op een dag zeker een paar zullen zijn die begrijpen dat ik die jongeman niet ben. Misschien zullen die geduldige lezers ook bedenken, net als ik nu doe, dat die jongeman, die een pauze inlaste in zijn leven terwijl hij zijn geliefde boeken las, op een goede dag de draad van zijn verhaal weer heeft opgepakt daar waar het stil was blijven staan.

Toen de enteraars voet aan boord zetten, borg ik mijn boeken op in mijn kist en ging boven kijken. Op het dek was het als de Dag des Oordeels. Iedereen buiten was bij elkaar gebracht en werd nu poedelnaakt uitgekleed. Eén moment kwam de gedachte bij me op om in de chaos in zee te springen, maar, zo bedacht ik, zij zouden me zeker met pijlen in de rug schieten en vangen en vervolgens afmaken; bovendien had ik er geen idee van hoe ver we van de kust af waren. In het begin interesseerden zij zich trouwens niet voor mij. De moslimslaven, verlost uit hun ketenen, schreeuwden het uit van vreugde; sommige waren ijverig bezig wraak te nemen op de galeiwachters, die hen zo hadden afgeranseld. Enige tijd later vonden ze mij in mijn hut, ze kwamen binnen en plunderden mijn spullen. Mijn kisten werden overhoopgehaald op zoek naar goud, en nadat ze op enkele van mijn boeken na al mijn bezittingen hadden meegenomen, greep weer een ander mij beet, terwijl ik in gedachten nog in de paar achtergebleven boeken stond te bladeren, en voerde me mee naar een van de kapiteins.

Die kapitein, van wie ik later hoorde dat hij een Genuese bekeerling tot de islam was, behandelde mij netjes; hij vroeg waar ik verstand van had. Om niet aan de roeiriemen gekluisterd te worden, vertelde ik meteen van mijn kennis van astronomie, dat ik 's nachts de koers zou kunnen bepalen, maar daar gingen ze niet op in. Daarop bracht ik naar voren dat ik geneesheer was, vertrouwend op het anatomieboek dat ze me hadden gelaten. Maar toen ze me even later iemand lieten zien wiens arm afgerukt was, voegde ik er snel aan toe dat ik niettemin géén chirurgijn was. Ze gingen woedend tegen me tekeer en dreigden net me aan de roeiriemen te zetten, toen de kapitein, met een blik op mijn boeken, vroeg of ik toch zeker wel verstand van zaken als urine en polsslag had? Toen ik zei dat ik daar inderdaad raad mee wist, was ik én verlost van slavernij in de roeibank, én had ik een paar van mijn boeken gered.

Maar die aparte behandeling moest ik in zeker opzicht duur betalen. De andere christenen, die alle wél tot galeislaaf waren gemaakt, haatten mij vanaf dat ogenblik. Het liefst hadden ze mij in het ruim waarin we 's nachts werden opgesloten vermoord, maar ze waren toch té bang vanwege het feit dat ik zo snel contact met de Turken had weten te leggen. Immers, onze lafhartige kapitein, die aan de paal was gespietst, had nog maar net de geest gegeven, en de galeiwachters waren, als afschrikwekkend voorbeeld, de neuzen en oren afgesneden, waarna ze op een houtvlot in zee waren achtergelaten. Toen de wonden van een aantal Turken, die ik niet zozeer met gebruik van mijn kennis van de anatomie als wel van mijn gezonde verstand had behandeld, in feite uit zichzelf waren geheeld, geloofde iedereen dat ik arts was. Zelfs sommige van de mij vijandig gezinden, die uit jaloezie tegen de Turken hadden gezegd dat ik helemaal geen arts was, lieten 's nachts in het scheepsruim hun wonden door mij bekijken.

We voeren Istanbul binnen in een plechtstatige intocht met veel pracht en praal. Er werd gezegd dat de Kind-sultan een van onze toeschouwers was. Ze hesen hun banieren in de toppen van alle masten. Daaronder werden ónze vlaggen, iconen van de Maagd Maria en kruisbeelden ondersteboven opgehangen en raddraaiers mochten daar hun pijlen op afschieten. Toen deed kanongebulder hemel en aarde kreunen. De ceremoniële plechtigheid, waarvan ik er later, maar dan vanaf de kant, nog heel wat met verdriet, verveling én plezier heb aanschouwd, duurde zo lang dat verscheidene mensen een zonnesteek opliepen. Tegen de avond gingen we voor anker in Kasimpasja. Ze sloegen ons in ketenen om ons voor de sultan* te leiden; ze deden onze soldaten hun harnas achterstevoren aan om ze belachelijk te maken; de kapiteins en officieren kregen een ijzeren band om de nek. Schetterend en tetterend op van onze schepen buitgemaakte bazuinen en trompetten voerden ze ons onder groot algemeen vermaak naar het paleis. Het toegestroomde volk dat in een dichte haag langs de weg stond, bekeek ons met plezier en nieuwsgierigheid. De sultan liet, zonder dat wij hem te zien kregen, de slaven die aan hem toekwamen, uitzoeken en afzonderen. Wij, de overgeblevenen, werden naar Galata gebracht en daar in de kerkers van Sadik Pasja* gesmeten.

Een barbaars oord. In de kleine, vochtige, ondergrondse kerkergaten lagen honderden slaven in hun vuil weg te rotten. Ik vond er volop mensen om mijn nieuwe beroep op uit te oefenen en sommige van hen maakte ik nog beter ook. Daarnaast schreef ik recepten uit voor bewakers die last hadden van hun rug of voeten. Zij zonderden mij weer van de anderen af en gaven me een betere cel waar het daglicht binnenkwam. Gezien de toestand van de anderen, deed ik mijn best dankbaar te zijn voor mijn situatie, tot ze me op een ochtend gelijk met hen naar buiten riepen en zeiden dat ik aan het werk moest. Toen ik protesteerde dat ik arts was en alleen verstand had van geneeskunst en wetenschap, lachten ze me uit: de muren van de tuin van de Pasja moesten hoger gemaakt, en daar waren mannen voor nodig. Iedere ochtend nog voor zonsopgang werden we, aan kettingen geboeid, de stad uitgedreven. Wanneer we 's avonds, na de hele dag stenen te hebben gesjouwd, weer aan elkaar geketend naar de gevangenis terugkeerden, dacht ik steevast dat Istanbul dan wel een mooie stad was, maar dat je er een vrij man moest zijn, geen slaaf.

Toch was ik ook weer niet zo maar een slaaf als iedereen. Ik verleende mijn diensten niet alleen aan de wegkwijnende slaven in de gevangenis, maar ook aan de mensen daarbuiten die hadden gehoord dat ik dokter was. Een groot deel van het geld dat ik hiervoor als honorarium ontving, moest ik noodgedwongen weer afgeven aan de slavenopzichters en de bewakers, die mij in ruil ervoor naar buiten smokkelden. Maar het geld dat ik voor hen wist achter te houden, besteedde ik aan Turkse lessen. Mijn leraar was een goede oude baas die voor de Pasja allerlei hand- en spandiensten verrichtte. Hij was blij als een kind toen hij merkte hoe snel ik Turks leerde en zo af en toe zei hij dat het nu niet lang meer zou duren of ik kon moslim worden. Iedere keer kostte het hem meer moeite het lesgeld van mij aan te nemen. Ook gaf ik hem geregeld geld om eten voor me te halen, want ik was vastbesloten goed voor mezelf te zorgen.

Op een mistige avond kwam er een opzichter naar mijn cel: de Pasja wilde me zien. Ik was eerst verbaasd, toen opgewonden, en maakte me onmiddellijk gereed om mee te gaan. Misschien had een van mijn vermogende verwanten, mijn vader, of misschien zelfs wel mijn aanstaande schoonvader, losgeld gestuurd, zo ging het door me heen. Terwijl we in de mist gehuld door de kronkelstraatjes liepen, kreeg ik sterk het gevoel dat we ineens bij mijn eigen huis zouden uitkomen, of dat ik plotseling als uit een droom ontwakend voor mijn familie zou staan. Of, zo ging het voor een seconde door me heen, misschien hadden ze een manier gevonden om te onderhandelen en daar iemand voor gestuurd, en zou ik direct, in deze zelfde mist nog, op een schip gezet worden, terug naar mijn land; maar, toen we de residentie van de Pasja betraden, begreep ik meteen dat ik er niet zo gemakkelijk vanaf zou komen. De mensen liepen er op de puntjes van hun tenen.

Eerst lieten ze me in een voorvertrek wachten, en duwden me toen een salon binnen. Op een kleine sofa lag een kleine, sympathiek uitziende man, met een deken over zich heen. Er was nog iemand bij hem, een grote forse man. Degene die lag, was de Pasja; hij riep me bij zich. We spraken met elkaar: hij vroeg me het een en ander, waarop ik vertelde dat ik eigenlijk astronomie en wiskunde had gestudeerd en ook nog voor ingenieur, maar dat ik ook kennis had van de geneeskunst, en al heel wat mensen had genezen. Hij vroeg verder en ik was van plan nog veel meer te vertellen, tot hij ineens zei dat ik wel een intelligent persoon moest zijn, gezien het feit dat ik zo snel Turks had geleerd, waar hij zonder overgang aan toevoegde dat hij lichamelijke klachten had, maar dat géén van de andere dokters er iets op had kunnen vinden, en omdat hij van mijn bestaan had gehoord, wilde hij het toch ook eens met mij proberen.

Toen begon de Pasja zó klaaglijk over zijn aandoeningen te vertellen, dat ik haast niet anders kon dan geloven dat het hier om een heel speciale ziekte ging die op de hele aardbodem uitgerekend de Pasja had getroffen. Allemaal dankzij zijn vijanden die Allah hadden weten te misleiden met hun laster over hem. En dat terwijl het voor mij al snel zonneklaar was dat zijn aandoening in feite niets anders was dan de bij ons aan ieder bekende astma. Ik ondervroeg hem grondig en luisterde naar zijn hoest. Daarna ging ik naar de keuken en maakte met wat ik daar vond, groene pillen met pepermuntsmaak; bovendien bereidde ik een hoestsiroop. Omdat ik merkte dat de Pasja bang was vergiftigd te worden, nam ik eerst zelf een slok van de siroop en slikte één van de pillen. Hij zei toen dat ik stilletjes, ervoor zorgend dat niemand me zag, uit het huis moest verdwijnen, en teruggaan naar de gevangenis. De opzichter legde me later uit dat de Pasja vooral niet wilde dat de andere dokters jaloers zouden worden. De volgende dag ging ik er weer heen, weer luisterde ik naar zijn hoest en weer gaf ik hem de medicijnen. Hij was als een kind zo blij met de gekleurde pillen die ik in zijn hand liet vallen. Eenmaal terug in mijn cel, bad ik om zijn genezing. De dag daarop stak de Poyraz op, een lichte frisse bries uit het noordoosten. Een mens móet wel beter worden in dit weer, dacht ik, of hij nu wil of niet; er kwam inderdaad niemand om mij te halen.

Toen ze mij een maand later weer op een avond rond middernacht lieten komen, was de Pasja op de been en heel vief. Toen ik hoorde hoe hij iemand uitfoeterde terwijl zijn ademhaling heel rustig bleef, was ik tevreden. Hij was blij mij te zien, zei dat ik zijn ziekte had genezen, dat ik een goede heelmeester was. En wat kon hij nu voor mij doen? Ik besefte heel goed dat hij me niet zomaar mijn vrijheid zou hergeven en mij laten vertrekken; daarom klaagde ik over mijn cel en mijn boeien; ook zei ik dat ik hen meer van dienst zou kunnen zijn als ik me volledig aan de geneeskunst, astronomie en natuurwetenschappen kon wijden, en ik vertelde dat men mij nu volkomen zinloos afbeulde met zware lichamelijke arbeid. Ik weet niet in hoeverre dit tot hem doordrong, misschien luisterde hij wel helemaal niet. Van de geldstukken die hij me in een buideltje gaf, pakten de bewakers mij vervolgens het merendeel weer af.

Een week daarna kwam er op een avond een opzichter mij verlossen van mijn boeien, nadat hij me eerst had laten zweren er niet vandoor te zullen gaan. Wel moest ik nog steeds iedere dag naar het werk, maar de slavendrijvers behandelden me nu veel milder dan de anderen. Toen de opzichter mij drie dagen later nieuwe kleren bracht, begreep ik dat de Pasja me onder zijn hoede had genomen.

Opnieuw werd ik 's nachts geregeld in allerlei huizen ontboden. Ik gaf medicijnen aan oude piraten die stijf stonden van de reumatiek, en aan jonge soldaten met brandend maagzuur; ik tapte bloed af bij lijders aan jeuk, bleekzucht en hoofdpijn. Op een keer declameerde een stotteraar, de zoon van een huisbediende, een heel gedicht voor me. Na een week mijn siroop ingenomen te hebben kon hij voor het eerst van zijn leven zonder haperen spreken.

Zo ging de winter voorbij. In het begin van de lente vernam ik dat de Pasja, die me al maandenlang niet meer had laten komen, met de vloot was uitgevaren naar de Middellandse Zee. Gedurende de warme zomerdagen zeiden de enkelingen die getuige waren van mijn ellende en woede, dat ik niet had te klagen over mijn toestand, als dokter verdiende ik immers goed geld. Een voormalige slaaf, die vele jaren terug moslim was geworden en toen was getrouwd, raadde me aan te proberen te ontsnappen. Een slaaf die voor hen van nut was, zei hij, hielden ze, net als nu met mij gebeurde, altijd aan het lijntje, en zouden ze nooit ofte nimmer toestemming geven om naar zijn land terug te keren. Ik zou alleen voor elkaar kunnen krijgen dat ik vrijgelaten werd als ik moslim werd, er was geen andere manier. Omdat ik dacht dat hij deze dingen misschien zei om me uit te horen, gaf ik te kennen dat ik helemaal niet van plan was te vluchten. In werkelijkheid echter ontbrak het me niet aan een plan, maar aan de moed ervoor. Al degenen die ontsnapten, werden nog voor ze een goed eind op weg waren alweer in de kraag gegrepen. Ik smeerde immers iedere nacht zalf op de wonden als gevolg van de afranselingen die de ongelukkigen vervolgens kregen.

Tegen de herfst keerde de Pasja met de vloot terug van zijn zeetocht. Hij begroette de Padisjah met kanongebulder en probeerde net als vorig jaar de stad op te vrolijken, maar het was overduidelijk dat zij deze keer geen goed seizoen hadden gehad. Ze konden dan ook maar zeer weinig slaven bij de kerkers afleveren. Later hoorden we dat de Venetianen zes van hun schepen in vlammen hadden laten opgaan. Ik zon op een manier om met de nieuwe slaven in contact te komen – wie weet konden zij me nieuws vertellen over mijn land – maar het bleken voornamelijk Spanjaarden te zijn: zwijgzame, onwetende, schuwe wezens, die er zó erg aan toe waren dat er uit hun mond niet veel anders kwam dan gebedel om hulp en eten. Slechts één van hen wist mijn belangstelling te wekken; hij miste een arm. Hij vertelde dat een van zijn voorvaderen ooit dezelfde avonturen had meegemaakt als hij, en later nadat hij vrijgekomen was met zijn overgebleven hand een ridderroman geschreven had; de man was ervan overtuigd dat hijzelf óók gered zou worden, om hetzelfde te kunnen doen. Later, in de jaren dat ik verhalen verzon om te overleven, herinnerde ik mij deze man die ervan droomde dat hij zou overleven, opdat hij verhalen zou kunnen verzinnen. Niet lang daarna brak er in de kerkers een besmettelijke ziekte uit. Deze vreselijke epidemie, waarvoor ik mezelf wist af te schermen en te behoeden door de bewakers te overladen met smeergeld, was in het voorbijgaan verantwoordelijk voor de dood van meer dan de helft van de slaven.

De overlevenden werden naar een nieuw karwei gebracht. Ik hoefde niet meer mee. 's Avonds vertelden ze erover: ze gingen helemaal naar het einde van de Gouden Hoorn, en moesten daar alles uitvoeren wat timmermeesters, snijders en schilders hun opdroegen. Zo maakten ze van bordkarton en papier-maché hele schepen, vestingen en torens. Later hoorden we dat de dochter van de grootvizier door de Pasja was uitgekozen als bruid voor zijn zoon, en dat hij van plan was van de bruiloft een onvergetelijk festijn te maken.

Op een ochtend werd ik ontboden in de residentie van de Pasja. Ik liep erheen in de overtuiging dat zijn astma opnieuw de kop op had gestoken. De Pasja was bezig, en men liet mij in een kamer om even te wachten. Ik ging zitten. Even later ging de andere deur van de kamer open en er kwam iemand binnen, die zo'n jaar of vijf, zes ouder moest zijn dan ik. Toen ik hem aankeek, wachtte mij een angstaanjagende verrassing!

2

De persoon die de kamer binnenkwam leek ongelooflijk veel op mij! Maar daar sta ik zelf! dacht ik een moment. Het was of iemand een spelletje met me wilde spelen en mij door de deur, recht tegenover die waardoor ik al naar binnen was gekomen, nóg eens naar binnen duwde en daarmee zei: 'Kijk, eigenlijk moest jij zó zijn, zó had je de deur binnen moeten komen, zó had je je ledematen moeten bewegen, zó had je moeten kijken naar die andere jij die al in de kamer zit.' Toen onze blikken elkaar kruisten, begroetten we elkaar. Híj zag er echter helemaal niet uit of hij verrast was, waarop ik besloot dat hij nou toch ook weer niet zo heel sterk op mij leek: hij had een baard en eigenlijk was ik vergeten hoe mijn eigen gezicht er precies uitzag. Terwijl hij tegenover me ging zitten, bedacht ik me dat ik al een jaar niet meer in een spiegel had gekeken.

Even later ging de deur open waardoor ik naar binnen was gekomen, en hij werd geroepen. Terwijl ik wachtte op wat er gebeuren ging, realiseerde ik me dat dit geen door een meesterbrein bedachte grap was, maar de paranoïde verbeelding van mijn gekwelde geest. In die dagen ging mijn fantasie immers voortdurend met me op de loop: ik was weer thuis en iedereen kwam me begroeten; ik werd onmiddellijk vrijgelaten; of ik sliep nog steeds gewoon in mijn hut op het schip: allemaal sprookjesachtige, troostrijke dagdromen. Ik zat net te denken dat dit ook weer zo'n dagdroom was, maar dan een die werkelijkheid was geworden, of misschien was het ook een teken dat alles opeens anders en weer als vroeger zou worden, toen de deur openging en ik werd geroepen.

De Pasja was op en stond vlak achter mijn evenbeeld. Hij liet me de zoom van zijn gewaad kussen. Daar hij vroeg hoe ik het maakte, dacht ik dat ik hem wel kon vertellen over de ongemakken die ik in mijn cel moest verduren en dat ik naar mijn eigen land terug wilde, maar hij luisterde niet. Als hij zich goed herinnerde, zo begon hij, dan had ik hem toch eens gezegd dat ik iets van natuurwetenschap, astronomie en werktuigbouwkunde wist, goed dan, dan had ik vast ook verstand van vuurpijlen, je weet wel, die de lucht in worden geschoten, en van kruit? Ik beaamde dat onmiddellijk, maar toen ik de ogen van de ander zag, verdacht ik hem ervan een valstrik voor mij op te hebben gezet.

De Pasja ging verder: de bruiloft die hij wilde vieren moest een ongeëvenaard evenement worden, en hij wilde er vuurwerk bij hebben, waar alle eerdere vuurwerken bij in het niet zouden zinken. Mijn evenbeeld, door de Pasja slechts aangesproken met 'Hodja'*, 'meester', had indertijd meegewerkt aan het feestvuurwerk bij de geboorte van de sultan, dat voorbereid was door vuurwerkmakers onder leiding van een inmiddels overleden Malteser; hij wist dus wel wat van dit werk, maar de Pasja had zo gedacht dat ik hem er goed bij zou kunnen helpen. Wij zouden elkaar mooi aanvullen! Als we er een mooi schouwspel van maakten, zou de Pasja ons rijkelijk belonen. Dit leek me hét moment om te zeggen dat het mijn grootste wens was naar mijn land terug te keren, maar de Pasja wist mij af te troeven door te vragen of ik sinds mijn aankomst al met vrouwen had geslapen; mijn antwoord horende, zei hij: maar als ik niet met vrouwen sliep, waartoe zou dan mijn vrijheid dienen? Hij sloeg hierbij een taal uit die een bewaker niet zou hebben misstaan, en ik moet hem met open mond hebben aangekeken, want hij barstte in lachen uit. Daarna wendde hij zich tot mijn evenbeeld, de man die hij Hodja noemde: de verantwoordelijkheid voor het geheel lag bij hem. We vertrokken.

Toen we in de morgen naar het huis van mijn evenbeeld liepen, vroeg ik mij in alle ernst af of er eigenlijk wel iets was wat hij van mij zou kunnen leren. Maar hij bleek uiteindelijk toch niet veel meer te weten dan ik en onze kennis sloot zelfs behoorlijk goed op elkaar aan: al snel werd ons duidelijk dat het hele probleem er in essentie uit bestond een goed kamfermengsel te verkrijgen. Dus gingen we aan de slag met weegschaal en maatbeker, onstaken we onze zorgvuldig bereide mengsels 's nachts in Surdibi, en trokken we conclusies uit wat we waarnamen. Terwijl onze helpers het vuurwerk dat wij hadden klaargemaakt voor ons afstaken, daarbij aangegaapt door de straatjongens die eropaf waren gekomen, stonden wij zelf in het donker onder de bomen opgewonden en in spanning het resultaat af te wachten; precies zoals we later op klaarlichte dag deden, toen we aan dat ongelooflijke wapen werkten. Na enige tijd beijverde ik mij om, soms bij het licht van de maan, soms in het pikkedonker, onze bevindingen in een schriftje op te schrijven. Vlak voor het licht werd keerden we altijd terug naar het huis van de Hodja dat uitkeek op de Gouden Hoorn en praatten daar nog lang en breed met elkaar na over de resultaten.

Zijn huis was klein, benauwd en onprettig. Je kwam er door een smal kronkelstraatje, dat altijd modderig was door vies water dat God mag weten waar vandaan kwam. Binnen stond hoegenaamd geen meubilair, of wat dan ook, maar toch werd ik altijd als ik het huis binnenkwam bevangen door een vreemde benauwende beklemming. Wellicht was het de man zelf, die wilde dat ik 'Hodja' tegen hem zei omdat hij niet van zijn eigen naam hield – hij was naar zijn grootvader genoemd –, die me dat gevoel gaf: hij hield me steeds nauwlettend in de gaten, het was alsof hij iets van mij wilde leren, maar tegelijkertijd zelf ook niet wist wat dat dan zou kunnen zijn. Omdat het zitten op die lage kussenbanken langs de muur maar niet wilde wennen, bleef ik meestal staan wanneer we onze proefnemingen bespraken; soms ook ijsbeerde ik ongedurig de kamer op en neer. Ik geloof dat de Hodja hiervan genoot; daar zat hij dan, slechts bij het flauwe schijnsel van een lampje, en kon er maar niet genoeg van krijgen naar mij te kijken.

Als ik zijn blikken zo op mij gericht voelde, werd ik onrustig omdat hij de gelijkenis tussen ons beiden niet scheen op te merken. Eén of twee keer dacht ik dat hij het wel degelijk had gezien, en dat hij maar deed alsof hij niets in de gaten had. Het leek wel alsof hij een spelletje met me speelde, me aan een klein experiment onderwierp en daar voor mij onbegrijpelijke informatie uit opdeed. De eerste dagen keek hij namelijk steeds alsof hij van alles leerde en al lerende steeds nieuwsgieriger werd, maar óók alsof hij een volgende stap om zijn eigenaardige kennis te verdiepen niet durfde te zetten. Ja, het was deze stokkende communicatie die mij zo'n benauwd gevoel gaf en zijn huis zo verstikkend maakte! Weliswaar gaf zijn schroom mij moed, maar het maakte mij niet rustig. Of het nu was onder het bespreken van onze proefnemingen, of als hij me vroeg waarom ik nog steeds geen moslim geworden was, altijd hield ik me in, omdat ik donders goed begreep dat hij me tot een discussie wilde verlokken. Hij voelde mijn terughoudendheid, en ik begreep dat hij mij minachtte, en dat maakte me woedend. Misschien was dit wel het enige punt dat we in die dagen gemeen hadden: beiden hadden we weinig met de ander op. Maar omdat ik steeds dacht dat ik misschien wel toestemming zou krijgen om naar mijn land terug te keren als wij dat vuurwerk met succes en zonder brokken zouden weten te organiseren, hield ik mezelf in. Op een nacht zei de Hodja in een soort overwinningsroes vanwege een vuurpijl die een buitengewone hoogte had bereikt, dat hij er op een dag zeker in zou slagen een vuurpijl te maken die helemaal tot aan de maan zou komen; het enige probleem was het juiste kruitmengsel te vinden, en een goede bus te gieten voor het transporteren van het kruit. Ik zei dat de maan wel erg ver weg was, maar hij onderbrak me, ja, hij wist wel dat de maan erg ver weg was, maar was het tegelijkertijd ook niet de ster die het dichtst bij de aarde stond? Toen ik dat beaamde, kalmeerde hij niet, zoals ik had verwacht, maar werd eerder nog onrustiger en zei verder niets meer.

Twee dagen later, rond middernacht, begon hij er weer over: hoe kon ik er zo zeker van zijn dat de maan de dichtstbijzijnde ster was? Lieten wij ons misschien niet beetnemen door gezichtsbedrog? Toen vertelde ik hem voor het eerst van het onderwijs in de sterrenkunde dat ik had genoten, en ik legde hem in het kort de eerste beginselen van de Ptolemeïsche kosmografie uit. Ik merkte dat hij met interesse luisterde, maar dat hij zich inhield om vooral niet iets te zeggen dat zijn belangstelling zou verraden. Na een poos, toen ik zweeg, zei hij dat hij zelf ook wel het een en ander wist over Ptolemaeus, maar dat dit alles zijn onzekerheid aangaande de kwestie of er nog een ster dichterbij zou kunnen zijn dan de maan, niet verminderde. En tegen de ochtend praatte hij over die ster alsof hij de bewijzen voor het bestaan ervan al in handen had.

De volgende dag schoof hij me een in slecht handschrift geschreven boek toe. Ondanks mijn ontoereikende Turks, kon ik het toch ontcijferen: het was een samenvatting van de *Almagest*, maar naar ik geloof, niet een samenvatting van het origineel, maar een samenvatting van weer een andere samenvatting. Eigenlijk interesseerden me alleen de Arabische namen van de planeten, hoewel ik op dat moment ook dáár niet echt warm voor kon lopen. Toen de Hodja zag dat het boek me kennelijk weinig deed en ik het alweer opzij had gelegd, ging hij tekeer. Hij had maar liefst zeven goudstukken uitgegeven voor die band, het zou juister zijn als ik mijn arrogantie liet varen, en het eens doorbladerde en pagina voor pagina bekeek. Toen ik als een brave leerling het boek opnieuw had geopend en de bladzijden geduldig een voor een omsloeg, kwam ik een primitief schema tegen. De planeten, met enkele simpele lijnen neergezet als globes, werden weergegeven in hun positie ten opzichte van de aarde. Ofschoon de globes op de juiste plaats stonden, had de tekenaar geen idee gehad van enige onderlinge orde. Daarna trof een kleine planeet tussen de maan en het aardoppervlak mijn oog; met wat beter kijken was aan de versheid van de inkt duidelijk te zien dat hij veel later aan het handschrift was toegevoegd. Nadat ik het geschrift tot het einde toe had doorgekeken, gaf ik het terug aan de Hodja. Hij zei tegen mij dat hij die kleine ster zou vinden; hij maakte niet de indruk een grapje te maken. Ik zei niets, en er ontstond een stilte die hém net zo goed als mij op de zenuwen werkte. Aangezien we echter daarna nooit meer een vuurpijl tot een dergelijke astronomische hoogte wisten te krijgen, werd het onderwerp niet meer aangeroerd. Ons kleine succes bleef zo een toevallige gebeurtenis waarvan we het geheim niet hebben kunnen achterhalen.

Op het punt van de felheid van de vlam en de schittering van het licht behaalden we echter zeer goede resultaten en nu wisten we wel waar het geheim van ons succes in school: de Hodja had bij een van de Istanbulse kruidenwinkels die hij één voor één afstroopte, een poeder gevonden waarvan ook de verkoper zelf de naam niet kende: wij kwamen tot de conclusie dat dit gelige poeder dat zo'n fantastische schittering gaf een mengsel moest zijn van zwavel en salpeter. Later mengden we om kleur aan het licht te geven iedere denkbare stof met het poeder, maar verder dan een dicht bij elkaar liggend vaalgroen en bruin, konden wij het niet brengen. Volgens de Hodja was dit desalniettemin het beste van wat er tot dan toe in Istanbul was geproduceerd.

Het schouwspel dat wij op de tweede avond van de bruiloft verzorgden, was dat ook. Iedereen zei dat na afloop, zelfs onze persoonlijke vijanden die anders altijd achter onze rug konkelden en samenspanden om ons ons werk afhandig te maken. Toen men zei dat de Padisjah op de andere oever van de Gouden Hoorn was aangekomen om ons werk te zien, werd ik erg nerveus, het zweet brak me uit, er hoefde immers maar íets mis te gaan en ik zou de hoop om naar huis terug te kunnen keren voor jaren moeten opgeven. Het startsein werd gegeven en ik deed snel een schietgebedje. Eerst onstaken we kaarsrecht opstijgende niet-gekleurde vuurpijlen om de gasten te begroeten en ze op te warmen voor het eigenlijke spektakel; meteen daarachteraan kwamen we met de opstelling van het wiel die we de 'Molen' hadden genoemd; de Molen maakte de hemel rood, geel, groen, alles tegelijk, en gaf een geweldig geknal bovendien; het was nog mooier dan we hadden verwacht. Terwijl het vonkenvuur eraf spatte en knalde, draaide en draaide het wiel steeds sneller rond om dan plotseling stil te staan en de hele omgeving als in daglicht te zetten. Eén moment waande ik me in Venetië. Acht jaar was ik, ik zag voor het eerst zo'n feestvuurwerk en ik was ongelukkig, net als nu, want niet ík had mijn nieuwe rode toga aan mogen doen, maar mijn oudere broer, die de dag ervoor in een vechtpartij zijn kleren had gescheurd; de vuurpijlen spatten uiteen met eenzelfde rood als van die toga met al die knoopjes, die ik die avond niet kon dragen, en die ik, naar ik toen bezwoer, ook nooit meer aan zou doen; de knoopjes hadden dezelfde kleur als de toga, die mijn broer trouwens nog te krap zat ook.

Daarna zetten we de constructie die we de 'Bron' noemden in werking: uit een koker op een hoogte van vijf volwassen mannen op elkaar begonnen vlammen neer te kletteren; de toeschouwers op de andere oever moeten die vlammenstroom nog beter hebben kunnen zien; toen daarna uit de monding van de Bron vuurpijlen begonnen te spuiten, moeten zij minstens net zo opgewonden zijn geweest als wij. Maar we hadden nog meer voor hen in petto: nu zetten de vlotten op de Gouden Hoorn zich in beweging. Eerst gingen aangestoken kartonnen torens en burchten in vlammen op, terwijl ze onder het voorbijglijden vanaf hun bastions vuurpijlen rondsproeiden; zij stelden de overwinningen van de afgelopen jaren voor! Toen de schepen van het jaar van mijn gevangenname voorbij kwamen, beschoten en bespoten de andere schepen ons zeilschip met een regen van vuurwerk; zo beleefde ik nogmaals de dag dat ik gevangen was genomen. Van beide oevers klonk 'Allah, Allah!' toen de bordkartonnen schepen ten slotte brandend ondergingen. Daarna lieten we heel langzaam onze 'Draken' voorbijglijden; er spoten vlammen uit hun neusgaten, bek en oren. We lieten ze met elkaar vechten en de strijd bleef, zoals ook onze bedoeling was, lange tijd onbeslist. Met vuurpijlen die we vanaf de kant afstaken, stookten we de lucht nog roder op; toen de hemel daarna weer donkerder werd lieten onze mannen op de vlotten de raderen draaien en toen begonnen de draken heel langzaam naar de hemel te stijgen; ja, het veroorzaakte een waar koor van angstkreten en uitroepen van bewondering; en terwijl de draken met veel lawaai opnieuw op elkaar aanvielen, werd al het vuurwerk op de vlotten afgestoken. Ook moeten de lonten die we op de rompen van de monsters hadden laten aanbrengen werkelijk precies op tijd aangestoken zijn, want de hele omgeving veranderde, precies zoals we hadden gepland, in een echte hel. Wat een succes we hadden, begreep ik, toen ik dichtbij een kind met grote uithalen hoorde huilen; zijn vader leek het jochie totaal vergeten en stond met open mond geschrokken naar de huiveringwekkende hemel te staren. Nu zal ik dan toch zeker naar mijn land terug mogen, dacht ik. Op dat moment kwam een schepsel dat ik 'Satan' had genoemd, met onder zich een klein zwart vlot dat niemand kon zien, de hel binnenvaren; we hadden er zo vreselijk veel vuurwerk aan vastgemaakt, dat we werkelijk een moment vreesden dat het hele vlot met onze helpers en al de lucht in zou gaan, maar alles ging goed; terwijl de strijdende draken vlammen spuwend ten onder gingen, schoot de Satan al zijn vuurpijlen, die op hetzelfde moment ontbrandden, op het firmament af, waarna er van zijn hele lijf vuurballen in het rond spoten, die met een knal in de lucht ontploften. Ik besefte dat door ons toedoen heel Istanbul voor één moment in de wurggreep van angst en terreur verkeerde, en dat wond me op; maar het leek ook alsof het mezelf wakkergeschud had; alsof ik nu eindelijk de moed had gevonden de dingen die ik in het leven wílde doen, ook echt te gaan doen; alsof het er op dat moment ook helemaal niets toe deed in welke stad ik was: ik had wel gewild dat de Satan daar de hele nacht hoog in de lucht over iedereen zijn vlammen was blijven uitstrooien. Maar na wat naar rechts en links heen en weer te hebben gezwalkt, dook hij zonder iemand te raken naar beneden de Gouden Hoorn in, onder luidkeels gejoel van de hele meute op beide oevers. Terwijl hij onderging spatten de vlammen nog van hem af.

De volgende dag stuurde de Pasja aan de Hodja een buidel met goudstukken, net als in een sprookje. Hij liet zeggen dat hij heel tevreden was met het prachtige vuurwerk, maar dat de overwinning van de Satan hem had bevreemd. We gingen nog tien avonden door met het feestvuurwerk. Overdag lieten we de verbrande maquettes, zo goed als het ging, herstellen en bedachten we nieuwe stukken en constructies, gevangenen uit de kerkers lieten we vervolgens alles opvullen met vuurwerk. Eén slaaf werd hierbij blind, doordat hij tien zakken kruit liet ontploffen en zijn gezicht verbrandde.

Nadat de bruiloftsfeesten waren afgelopen, kreeg ik meteen ook de Hodja niet meer te zien. Ik kwam tot rust doordat ik bevrijd was van de afgunstige ogen van de nieuwsgierige man die mij de godganse dag in de gaten hield, maar toch moet ik zeggen dat ik ook wel gehecht was geraakt aan de levendigheid van de dagen, die ik met hem had doorgebracht. Als ik ooit weer thuiskwam, zou ik aan iedereen vertellen over deze man, die, hoewel hij zo ongelooflijk op mij leek, nooit iets had gezegd over deze gelijkenis. Maar nu zat ik weer in mijn cel en doodde de tijd met het behandelen van de zieken. Toen ik op een dag de boodschap kreeg dat de Pasja mij wilde zien, ging ik opgewonden, ja haast gelukkig, op een drafje naar hem toe. Eerst prees hij me uitvoerig, iedereen was zeer te spreken over het vuurwerk, men had zich kostelijk vermaakt, ik was werkelijk erg begaafd, enzovoort. Daarna zei hij zonder overgang dat hij me als ik moslim werd, direct de vrijheid zou hergeven. Ik was verrast, met stomheid geslagen, ik zei dat ik terug wilde naar mijn land en met mijn verwarde hoofd stotterde ik als een klein kind nog wat over mijn moeder en mijn verloofde en zo. Alsof hij me in het geheel niet had gehoord, herhaalde de Pasja nog eens wat hij had gezegd. Ik bleef even stil. Ik weet niet waarom, maar voor mijn geest verschenen plotseling de luie en ongehoorzame vrienden uit mijn jeugd; kinderen die de hand ophieven tegen hun vader en aan wie men een hekel had. Toen ik zei dat ik niet van plan was van geloof te veranderen, voer de Pasja geweldig tegen me uit. Ik ging terug naar mijn cel.

Drie dagen later liet hij me weer roepen. Nu was hij weer in een goed humeur. Omdat ik er nog niet uit was of van geloof veranderen mij zou helpen om te ontkomen of juist niet, had ik nog niet tot een besluit kunnen komen. De Pasja vroeg hoe ik er nu over dacht, hij wilde me best eigenhandig met een mooi meisje van hier in de echt verbinden. Toen ik op de een of andere manier de moed had gevonden om te zeggen dat ik niet van geloof wilde veranderen, reageerde de Pasja eerst een beetje verbaasd, daarna zei hij dat ik stom was. Er was toch immers niemand in mijn buurt die ik niet recht in de ogen zou kunnen kijken omdat ik van geloof zou zijn veranderd? Vervolgens vertelde hij nog het een en ander over de islam. Toen zweeg hij en stuurde me terug naar mijn cel.

Toen ik voor de derde keer kwam, ontving de Pasja me niet zelf. Een hofmeester vroeg me naar mijn besluit. Natuurlijk kon het zijn dat ik van gedachten was veranderd, maar ik vond dat niet iets om me door een bediende te laten vragen! Dus zei ik dat ik er op dit moment nog niet klaar voor was van geloof te veranderen. De hofmeester greep me bij mijn arm en bracht me naar beneden. Daar gaf hij me over aan een ander, een lange slanke man, zoals me vaak in mijn droom verscheen. Hij gaf me een arm en leidde me liefdevol, alsof hij een bedlegerige hielp, naar een uithoek van de tuin; daar voegde een ander zich bij ons, deze man was forsgebouwd en van een dusdanige realiteit als nooit in dromen door kan dringen. Bij een muur gekomen, bonden ze mijn handen vast – ze bleken een handbijl bij zich te hebben: de Pasja had bevolen dat als ik me nu nog niet tot de islam bekeerde, me meteen het hoofd moest worden afgehakt. Ik stond als versteend.

Nee, niet zo vlug, dacht ik. Ze keken me medelijdend aan. Ik zei niets. Mijn God, laten ze het me alstublieft niet nóg eens vragen, dacht ik vurig, maar ik had geen geluk. Daar vroegen ze het al weer. Zodoende werd het geloof in mijn ogen plotseling iets waarvoor men al heel licht zijn leven offert, maar ik gaf nog te veel om mezelf en had ook te veel medelijden met mezelf, net als die twee overigens, ook al bleven ze proberen me met het steeds weer stellen van de gevreesde vraag te dwingen van mijn geloof af te vallen. Ik dwong mezelf aan iets anders te denken, en zo herleefde voor mijn ogen het uitzicht dat ik thuis had gehad uit het raam dat uitkeek op de achtertuin: op een tafel stond een parelmoer ingelegde schaal vol perziken en kersen; daarachter bevond zich een rieten bank, met donzen kussens erop van eenzelfde kleur groen als het raamkozijn; en verder weg zag ik de olijfbomen en kersebomen en de waterput op de rand waarvan een mus was neergestreken. Aan een hoge tak van de walnoteboom daar weer achter, wiegde een schommel aan lange touwen zachtjes heen en weer in een nauwelijks waarneembaar zuchtje wind. Toen ze me de vraag opnieuw stelden, zei ik dat ik niet van plan was van geloof te veranderen. Vervolgens lieten ze me knielen bij de korte boomstronk die daar stond, en ik moest mijn hoofd erop leggen. Eerst deed ik mijn ogen dicht, maar toen opende ik ze weer. De een pakte de bijl. De ander zei dat ik inmiddels misschien spijt had gekregen en ze lieten me weer overeind komen. Ik moest nog maar eens goed nadenken.

Maar terwijl ik dat deed, begonnen zij even voorbij die stronk in de grond te scheppen. Ik dacht dat zij me daar meteen ter plekke wilden begraven en naast de angst voor de dood, werd ik nu overvallen door de angst om levend begraven te worden. Ik had net bedacht dat ik koste wat kost mijn besluit moest nemen vóór zij het graf af hadden, toen bleek dat ze het bij een kleine kuil lieten en al weer op me af kwamen. Op dat moment bedacht ik dat hier nu doodgaan wel het stomste was wat ik kon doen. Heus, zei ik, ik wilde werkelijk overwegen om moslim te worden, maar daar had ik meer tijd voor nodig. Als ik naar de gevangenis, naar mijn nu zo geliefde, vertrouwde cel terug kon gaan, zou ik de hele nacht opblijven en nadenken, en dan had ik morgenochtend beslist mijn besluit om van geloof te veranderen genomen; maar nu direct, nee dat ging niet.

Ze sleepten me echter zonder pardon mee en lieten me neerknielen bij de kuil. Vlak voordat mijn hoofd het gat bereikte, zag ik ineens iemand tussen de bomen door gaan alsof hij zweefde, en ik schrok: dat was ik zélf, maar dan met baard, die daar zo zonder dat mijn voeten de aarde raakten, geruisloos liep. Ik wilde roepen naar mijn verschijning tussen de bomen, maar ik kreeg geen geluid uit mijn keel, en mijn hoofd rustte al op de rand van de kuil. Toen hield ik mezelf voor, dat wat ik nu tegemoet ging eigenlijk niet verschilde van slapen, en op die manier lukte het me mezelf te ontspannen; ik wachtte af, kreeg het koud in mijn nek en rug, wilde niet nadenken, maar doordat ik zo koud werd, moest ik wel. Na een hele tijd pas, sjorden ze me weer overeind en gingen tegen me tekeer: de Pasja zou wel zeer verbolgen zijn! Bij het huis gekomen maakten ze mijn handen los terwijl ze me nog steeds uitfoeterden: ik was een vijand van Allah en van Mohammed. Toen brachten ze me naar boven.

Nadat de Pasja mij de zoom van zijn kleed had laten kussen, begon hij me eerst te paaien; hij zei dat hij mij hoogachtte, omdat ik me zelfs niet voor de prijs van mijn leven had bekeerd, maar even later begon hij weer op me af te geven en te schimpen: die stijfkoppigheid van me leidde tot niets, bovendien was de islam een veel hogere godsdienst, enzovoort. Hij wond zich al foeterend hoe langer en meer op: ja, hij was vastbesloten me te straffen. Daarna kwam hij met een verhaal dat hij aan iemand iets had beloofd; ik begreep dat het dankzij die belofte was dat sommige verschrikkingen die mij boven het hoofd hadden gehangen, me bespaard zouden blijven, en ten slotte drong het tot me door dat de man, aan wie hij dat iets had beloofd en die voor zover ik uit zijn beschrijving kon opmaken een beetje een vreemde figuur was, de Hodja moest zijn. Op dat moment zei de Pasja zonder omhaal dat hij me aan de Hodja cadeau had gedaan. Ik begreep er eerst niet veel van en staarde hem aan, waarop hij verduidelijkte: ik was nu de slaaf van de Hodja. Hij had hem een bepaald formulier gegeven en daarmee was vanaf nu de beslissing aan de Hodja om me al dan niet vrij te laten, met ingang van nu kon hij precies met me doen wat hij wilde. De Pasja verliet de kamer.

De Hodja was ook in de woning, hij wachtte me beneden op. Pas toen drong tot me door dat hij degene was geweest die ik in de tuin tussen de bomen had gezien. We gingen te voet naar zijn huis. Hij zei dat hij van het begin af aan had geweten dat ik mijn geloof niet zou verloochenen. In zijn huis bleek hij een kamer speciaal voor mij in orde te hebben gemaakt. Hij vroeg of ik soms honger had. De doodsangst drukte echter nog steeds op mij en ik was eigenlijk niet in staat om iets te eten. Toch wist ik een paar happen yoghurt en brood, dat hij voor mijn neus had neergezet, naar binnen te werken. Terwijl ik op het brood zat te kauwen, zat de Hodja vergenoegd toe te kijken. Hij keek naar me zoals een boer onder het voederen van zijn pas op de markt gekochte mooie paard vergenoegd denkt aan het werk dat hij het in de toekomst allemaal zal laten doen. Tot de dagen dat de Hodja zich volledig begroef in de details van het mechaniek van de klok en van de kosmografische theorie die hij aan de Pasja wilde aanbieden en mij helemaal vergat, heb ik vaak aan die blik van hem moeten denken.

Later op de avond zei hij tegen mij, dat ik hem alles moest leren; daarvoor had hij me trouwens ook aan de Pasja gevraagd, en daarna zou hij dan wel zien of hij me vrij zou laten. Het zou me overigens maanden kosten voor ik er helemaal achter was waaruit dat 'alles' bestond. 'Alles' bleek alles wat ik ooit had geleerd op school, college, universiteit; het was de hele astronomie, geneeskunde, bouwkunde en natuurwetenschappen, zoals die daar, in mijn land werden onderwezen! Vervolgens was het ook alles wat in de boeken stond die in mijn cel waren blijven liggen en die hij de tweede dag al liet ophalen, en ook alles wat ik maar had gehoord, gezien en bedacht over rivieren, meren en wolken, en over zeeën, en over de oorzaak van aardbevingen en onweer, en...

Tegen middernacht voegde hij eraan toe dat hij het meest geïnteresseerd was in de sterren en planeten. Door het open raam viel het maanlicht naar binnen, en hij zei dat wij op zijn minst een onomstotelijk bewijs moesten kunnen vinden of die ster tussen de maan en de aarde nu wél of niet bestond. Terwijl ik, met de schrik nog in de ogen van een dag in de nabijheid van de dood, onwillekeurig weer moest denken aan de verontrustende gelijkenis tussen ons beiden, gebruikte de Hodja het woord 'leren' al lang niet meer: wij zouden sámen onderzoek gaan doen, sámen onze bevindingen doen, sámen, zij aan zij werken.

En zo gingen wij aan de slag, als twee brave leerlingen of twee goede broers, die zich uit overtuiging aan hun werk geven, ook wanneer de grote mensen niet thuis zijn, die hen gewoonlijk door een kier van de deur in de gaten houden. In het begin voelde ik me als de goedmoedige grote broer die bereid is zijn oude kennis nog eens op te halen, zodat zijn luie broertje hem weer een beetje bij kan benen; wat de Hodja betreft, die gedroeg zich als het intelligente jongetje dat probeert te bewijzen, dat al die kennis van zijn grote broer nu ook weer niet zóveel voorstelt. Het verschil in kennis tussen ons was volgens hem niet groter dan het getal van mijn uit mijn cel opgehaalde boeken. In één oogopslag wist hij te schatten hoeveel dat er waren, precies het getal dat ik mij herinnerde. Met zijn bovennatuurlijke ijver en intelligentie zou hij binnen zes maanden al mijn boeken hebben gelezen, zeker als hij door de snelle vorderingen die hij erin maakte het Italiaans binnenkort nog beter zou kunnen lezen; en als hij me dan ook nog eens alles wat ik me maar herinnerde had laten vertellen, zou ik geen enkele superioriteit meer ten opzichte van hem hebben. Intussen gedroeg hij zich echter alsof er in hemzelf een kennis school die de kennis van zijn boeken, waarvan hij direct toegaf dat de meeste waardeloos waren, verre oversteeg en die veel natuurlijker was en een veel diepere oorsprong had dan alles wat men uit een boek kon leren. Na zes maanden werken, waren we echter nog steeds niet dat samen lerende, samen vooruitgang boekende koppel, waar de Hodja het eerst over had gehad. Híj zat ideeën uit te denken, terwijl ík alleen wat kleinigheden onder zijn aandacht of in herinnering bracht of hem hielp de dingen die hij al wist nog eens de revue te laten passeren.

Die 'ideeën', waarvan ik de meeste nu vergeten ben, dacht hij met name 's nachts uit, lang na onze meestal provisorische avondmaaltijd, wanneer alle lichten in de buurt reeds lang waren gedoofd en de omgeving in stilte was gehuld. 's Morgens ging hij altijd les geven op de jongensschool van de moskee een paar buurten verderop, en twee dagen in de week bezocht hij de Muvakkithane*, de Getijdenkamer van de moskee in een ver afgelegen wijk, waar ik nooit één voet heb gezet. De resterende tijd brachten wij óf met de voorbereidingen voor zijn nachtelijke 'ideeën' door óf met de nasleep ervan. In die dagen leefde ik nog in de hoop binnenkort naar mijn land terug te kunnen keren, en omdat ik dacht dat mijn terugkeer hoe dan ook vertraagd zou worden als ik met de Hodja in discussie ging over zijn 'ideeën', ging ik nooit echt tegen hem in; de details ervan konden me trouwens ook nauwelijks boeien.

Zo ging het eerste jaar voorbij met het zoeken van bewijzen voor het al dan niet bestaan van die denkbeeldige ster, waarvoor wij ons helemaal ingroeven in de astronomie. Maar eenmaal aan het werk met de telescopen, die hij had laten maken met lenzen uit Vlaanderen waar hij veel geld voor had neergeteld, en met nog andere observatie-instrumenten en -tabellen, vergat de Hodja de kwestie van de denkbeeldige ster helemaal. Hij zei dat hij zich in een serieuzer vraagstuk was gaan verdiepen, hij wilde namelijk het stelsel van Ptolemaeus ter discussie stellen. Wat wij deden had echter met *discussiëren* niks te maken: hij praatte en ik luisterde. Hij stelde dat het onzin was dat de sterren door transparante globes op hun plaats zouden blijven; misschien was er wel iets heel anders dat hen daar vasthield, zoals een onzichtbare kracht, of een aantrekkingskracht misschien. Vervolgens bracht hij naar voren dat de aarde misschien wel, net als de zon, rond iets anders draaide, misschien draaiden alle sterren wel rond een centrum, waar wij in ons bestaan geen weet van hadden. Nog weer later beweerde hij boudweg dat zijn gedachtengang veel grootser en veelomvattender zou zijn dan die van Ptolemaeus. Hij bestudeerde een hele hoop nieuwe sterren voor een veel ruimer opgezette kosmografie, en hij zette de theoretische hoofdlijnen uit voor een compleet nieuwe opvatting van het kosmisch stelsel: misschien draaide de maan wel rond de aarde, en de aarde om de zon; misschien ook was de morgenster wel het centrum van alles. Deze ideeën konden zijn aandacht echter evengoed niet lang vasthouden. Toen zei hij dat het op dit moment niet zijn eerste taak was nieuwe ideeën te verkondigen, maar om de mensen híer de eerste beginselen bij te brengen over de sterren en hun bewegingen; dat was het waarmee hij bij de Pasja wilde beginnen, maar in de dagen dat hij het erover had, hoorden we dat Sadik Pasja net verbannen was naar Erzurum. Er werd gezegd dat hij aan een mislukte samenzwering had deelgenomen.

In de jaren dat wij wachtten op de terugkeer van de Pasja uit zijn ballingschap, waren we soms maanden achter elkaar langs de Bosporus te vinden, in verband met een verhandeling die de Hodja wilde schrijven over de oorzaken van de stroming in de Bosporus; vanaf de heuvels probeerden we, in een wind die ons tot op het bot verkilde, observaties te doen met betrekking tot de stromingen in de zee; en in de valleien deden we met alle meetinstrumenten waarover we maar beschikten, metingen naar de temperatuur van en de stroming in de beken die in de Bosporus uitkwamen.

In Gebze, waar wij op verzoek van de Pasja, dat ons had weten te bereiken, heen waren gegaan en drie maanden bleven om een zaak voor hem af te wikkelen, bracht het niet met elkaar overeenkomen van de gebedstijden van de verschillende moskeeën onderling de Hodja weer op een ander idee: hij zou een klok maken die de gebedstijden foutloos zou aangeven. In die tijd leerde ik hem wat een tafel is: ik had het meubelstuk door een timmerman volgens door mij opgegeven maten laten maken, maar toen het in huis kwam, vond de Hodja het eerst helemaal niet prettig; het nieuwe meubel deed hem denken aan de steen waarop men een dode opbaart; dat bracht ongeluk, zei hij herhaalde malen, maar later raakte hij gewend aan de tafel met de stoelen, en zei hij zelfs dat hij zo beter kon nadenken en schrijven. En toen wij naar Istanbul teruggingen om voor de getijdenklokken ellipsvormige tandraderen te laten smeden, die dezelfde vorm hadden als de omloop van de zon, kwam onze tafel op de rug van een ezel achter ons aan.

De eerste maanden dat wij tegenover elkaar aan de nieuwe tafel zaten te werken, probeerde de Hodja erachter te komen hoe hij de gebeds- en vastentijden moest vaststellen voor de koude landen waar, doordat de aarde rond is, dag en nacht een andere lengte hebben dan in de warme landen. Een ander vraagstuk waar hij zich mee bezighield, was, of er behalve Mekka nog een ander punt op aarde is waarop men zich altijd kan oriënteren voor de juiste gebedsrichting. Wanneer de Hodja merkte dat ik me niet interesseerde voor die problemen, of er zelfs op neerkeek, deed hij alsof hij mij verachtte, maar ik bedacht op zo'n moment dat hij wel voelde dat ik 'superieur en anders' was, en dat het de gedachte dat ik dát weer in de gaten had, was die hem eigenlijk zo kwaad maakte. Zo lang van stof als hij soms was over wetenschap, was hij dán over intelligentie; hij zou, als de Pasja terug was in Istanbul, hem wel eens wat laten zien met de nieuwe klok en met zijn ontwerpen en zijn nieuwe kosmografische theorie, die hij overigens nog wilde verbeteren en inzichtelijk maken met een model; hij zou hier het zaad voor een renaissance zaaien en iedereen aansteken met eenzelfde nieuwsgierigheid als die hij in zich had. Wij wachtten beiden af.

3

In die dagen hield de Hodja zich bezig met nadenken over de mogelijkheid een groter tandradmechanisme te maken, zodat de klok niet iedere week, maar slechts één keer per maand hoefde te worden opgewonden en gelijkgezet; het speelde door zijn hoofd om als hem dat eenmaal gelukt was aan een getijdenklok te gaan werken die nog maar één keer per jaar ingesteld hoefde te worden; het hele probleem bestond volgens hem in feite hieruit: hij moest een kracht zien te vinden die het raderwerk van zo'n grote klok, dat zelf ook weer groter en zwaarder werd naarmate de opwind-capaciteit toenam, in beweging kon zetten; hij was net bezig nu weer hierover theorieën uit te denken, toen hij van zijn vrienden in de Getijdenkamer van de moskee hoorde dat de Pasja terug was uit Erzurum.

De volgende ochtend ging hij direct de Pasja feliciteren. Deze had zich in die grote drukte van gasten even apart met de Hodja verstaan, was benieuwd geweest naar diens uitvindingen en had zelfs nog naar mij gevraagd. Die nacht haalden we de klok helemaal uit elkaar, zetten hem weer in elkaar en stelden hem opnieuw in; hier en daar voegden we nog iets toe aan zijn maquette van de kosmos en schilderden de sterren bij met wat we aan kwasten en verf bij de hand hadden. De Hodja droeg intussen gedeeltes aan mij voor uit zijn toespraak, die hij, om zijn toehoorders te imponeren, in een pompeuze en poëtische taal had geschreven en vervolgens uit zijn hoofd had geleerd. Tegen de ochtend droeg hij de tekst over de logica van de omloop der sterren expres een keer helemaal verkeerd voor, om zijn zenuwen de baas te worden. Toen liet hij onze toestellen op een wagen laden, die hij had laten komen, en reed hij weg, op naar de woning van de Pasja. Ik zag met verbazing hoe klein en nietig de klok en het model, die maandenlang het hele huis hadden gevuld, in de laadbak waren. De Hodja kwam pas laat weer thuis.

Meteen nadat hij de toestellen in de tuin van de Pasja had opgesteld en de Pasja die vreemde dingen, die hij niet anders dan als een grap kon zien, met de koude blik van een verzuurde oude man aan een onderzoek had onderworpen, had de Hodja zijn uit het hoofd geleerde toespraak voorgedragen. Toen had de Pasja zich mij herinnerd en dezelfde woorden gesproken als de Padisjah jaren later zou doen: 'Heeft híj je dat geleerd?' Dat was zijn enige reactie geweest. De Hodja echter had op zijn beurt de Pasja waarschijnlijk nog meer verbaasd door pal dáarop te vragen: 'Wie?' Zodra hij het zei, had hij echter begrepen dat ík degene was die bedoeld werd. Toen had de Pasja gezegd dat ik een belezen dwaas was. Terwijl de Hodja dit aan mij doorvertelde, was hij er met zijn aandacht niet echt bij, in zijn geest was hij nog steeds in het huis van de Pasja. Later had hij hem met nadruk gezegd, dat hij alles zélf had uitgevonden, maar de Pasja had hem niet geloofd. Hij had eruitgezien alsof hij een schuldige zocht, maar ook alsof hij het op de een of andere manier niet met zijn geweten in overeenstemming kon brengen, dat zijn zeer beminde Hodja die schuldige zou zijn.

Dat was de reden dat zij in plaats van verder over de sterren te praten, het over mij hadden gehad. Ik begreep wel dat dit gespreksonderwerp helemaal niet naar de zin van de Hodja was geweest. Zodoende was er al snel een stilte gevallen en had de Pasja zijn aandacht verlegd naar de andere gasten om hem heen. Terwijl de Hodja tijdens het avondeten naar een nieuwe opening zocht om over de sterren en over zijn uitvindingen te kunnen praten, had de Pasja ineens gezegd dat hij almaar probeerde zich mijn gezicht voor de geest te halen, maar dat steeds dat van Hodja voor hem opdoemde. De mensen om hen heen aan tafel hadden dit opgevangen, en er ontspon zich een geamuseerd gesprek over het onderwerp of mensen als paar geschapen zijn. Men had absurde voorbeelden aangehaald, en er werden sterke verhalen opgedist over tweelingen die zelfs door de eigen moeder door elkaar werden gehaald; of over evenbeelden die toen zij elkaar voor het eerst zagen de schok van hun leven hadden gekregen, maar daarna als waren zij betoverd onafscheidelijk van elkaar waren geworden; en over bandieten die de plaats van onschuldige mensen hadden ingenomen. Toen de maaltijd afgelopen was en het gezelschap uiteenging, had de Pasja de Hodja gevraagd nog wat te blijven.

Toen de Hodja weer zijn verhalen begon te vertellen, had de Pasja dat eerst niet echt leuk gevonden, sterker nog, hij was bepaald ontstemd geweest dat zijn goede humeur nu weer werd bedorven door al die gecompliceerde wetenswaardigheden, die hij maar niet begreep. Maar later, nadat hij voor de derde keer had geluisterd naar de door de Hodja voorgedragen tekst en nadat de aarde en sterren van ons model een aantal malen voor zijn ogen voorbij waren geflitst, had het erop geleken dat hij er toch wel iets van was gaan begrijpen; een wat onbestemde belangstelling was in hem ontwaakt en hij was duidelijk oplettender gaan luisteren naar wat de Hodja vertelde. Daarop had de Hodja nog eens opgewonden herhaald dat de sterren dus niet zo draaiden als iedereen altijd had gedacht, maar anders, op de manier, zoals hij had laten zien. 'Goed,' had de Pasja ten slotte gezegd, 'ik begrijp het. Natuurlijk, zo kan het ook zijn, waarom ook niet?' Toen had de Hodja gezwegen.

Het leek me, dat er een lange stilte moest zijn geweest. De Hodja keek nu uit het raam naar buiten, naar de duisternis van de Gouden Hoorn, en mompelde voor zich uit: 'Waarom haakte hij ineens af, waarom vroeg hij niet verder?' Als het al een vraag was, dan moest ik net als hij het antwoord schuldig blijven: hoewel ik de Hodja ervan verdacht dat híj misschien wel een idee had van de richting waarin dat 'verder' had moeten gaan, zei hij niets. Het was alsof hij zich onrustig voelde omdat niet iedereen zo was als hij. Nog weer later had de Pasja zijn aandacht op het uurwerk gericht; hij had de klokkekast open laten doen en gevraagd waar de tandraderen, het mechaniek en het gewicht toe dienden. Toen had hij griezelend zijn vinger in het ratelende toestel gestoken en snel weer teruggetrokken, alsof het een duister huiveringwekkend slangehol was. De Hodja was intussen over klokketorens begonnen en legde de voordelen ervan uit, namelijk dat iedereen op exact hetzelfde moment de gebeden zou kunnen verrichten, toen de Pasja plotseling was uitgebarsten en had gezegd: 'Ontdoe je van die man. Vergiftig hem, laat hem vrij, doe met hem wat je wil. Pas dan zul je weer rust hebben.' Eén ogenblik moet ik met angst én met hoop naar de Hodja hebben gekeken. Maar hij zei dat hij niet van plan was mij de vrijheid te geven tot ook zij erachter zouden zijn.

Wat dat iets was waar men achter zou moeten komen, heb ik niet gevraagd. Waarschijnlijk was ik wel bang te horen dat de Hodja dat eigenlijk ook niet wist. Later hadden ze nog over andere dingen gesproken, maar de Pasja had voortdurend knorrig en misprijzend naar de toestellen vóór hem gekeken. De Hodja was, in de hoopvolle verwachting dat de Pasja misschien toch nog wat meer zou willen horen, met opzet tot in de kleine uurtjes in de residentie blijven zitten, al wist hij heel goed dat zijn aanwezigheid niet langer gewenst was. Toen had hij uiteindelijk zijn toestellen maar weer op de wagen laten zetten. En ik zag het helemaal voor me: de stille donkere weg waarover de wagen terugreed, een huis langs die weg waarin iemand niet kon slapen en het geratel van de wielen hoorde met het tikken van de grote klok erdoorheen, en zich ongerust afvroeg wat dat wel mocht zijn.

De Hodja bleef die nacht op tot aan het ochtendgloren. Toen de kaars opgebrand was wilde ik een nieuwe voor hem aansteken, maar hij liet het niet toe. Omdat ik wist dat hij wilde dat ik iets zei, zei ik: 'De Pasja zal het zeker op een gegeven moment begrijpen.' Ik zei dat in het donker, en misschien wist hij best wel dat ik het zelf niet geloofde, maar even later reageerde hij er toch op: al wat hij moest doen, was het raadsel oplossen dat schuilging achter het moment dat de Pasja had afgehaakt.

Bij de eerste de beste gelegenheid ging hij met dat doel naar de Pasja. Dit keer was de Pasja hem opgewekt tegemoet getreden. Hij had gezegd dat hij nu alles wat Hodja hem de laatste keer had verteld had begrepen, of in ieder geval zijn bedoelingen ermee, en nadat hij de Hodja op die manier weer voor zich had ingenomen, had hij hem voorgesteld aan een wapen te gaan werken: 'Een wapen dat voor onze vijanden de wereld tot een kerker zal maken!' Dát had hij gezegd, maar wat dat dan voor wapen zou moeten zijn, had hij er niet bij verteld. Als de Hodja zijn belangstelling voor de wetenschap in die richting zou sturen, ja, dan zou de Pasja hem zeker steunen. Natuurlijk had hij het helemaal niet gehad over wat wij tegemoet konden zien voor ons levensonderhoud. Hij had de Hodja alleen een buidel met zilverlingen gegeven. Thuis telden we ze na, het waren er zeventien, een vreemd aantal! Bij het overhandigen van de buidel had hij gezegd dat hij de Padisjah zou overhalen om ook eens naar de Hodja te luisteren. En hij had eraan toegevoegd dat het Kind wel belangstelling had voor 'zulke dingen'. Noch ik, noch de goedgelovige Hodja had erg veel vertrouwen in deze belofte, maar een week later werd ons inderdaad een boodschap gezonden. De Pasja zou ons, ja ook míj, na het einde van de ramadan meenemen naar de sultan.

Ter voorbereiding op dit bezoek veranderde de Hodja de toespraak die hij voor de Pasja had gehouden zodanig dat hij begrijpelijk zou zijn voor een kind van negen jaar, en leerde deze ook weer uit zijn hoofd. Maar op de een of andere manier was hij met zijn geest niet bij de Padisjah, maar nog steeds bij de Pasja en bij de vraag waarom hij toch had afgehaakt. Hij wilde absoluut achter dat mysterie komen. En hoe moest hij zich dat wapen voorstellen, dat de Pasja wilde dat gemaakt werd? Ik hoefde eigenlijk nauwelijks meer iets te zeggen, hij werkte en had genoeg aan zichzelf. Terwijl de Hodja zich avond na avond tot midden in de nacht in zijn kamer opsloot, zat ik, zonder me nog langer af te vragen wanneer ik ooit mijn vaderland terug zou zien, als een dwaas kind in totale ledigheid uren voor het raam te fantaseren: die man die aan de tafel zat te werken was niet de Hodja, maar was ik, en ik kon wanneer ik maar wilde, gaan waarheen ik maar wilde!

Toen wij dan op de bewuste dag met onze toestellen op een wagen dwars door Istanbul naar het Paleis reden, liep het tegen de avond. Ik was van de straten van Istanbul gaan houden, ik fantaseerde graag dat ik onzichtbaar was en als een schim door die straten en onder de grote platanen en kastanje- en judasbomen in de tuinen liep. We stelden de toestellen op met de hulp van wat dienaren op de plaats die daarvoor was aangewezen, de tweede binnenhof van het Paleis.

De Padisjah bleek een innemend joch met appelwangetjes en was klein voor zijn leeftijd. Hij zat aan de toestellen alsof het zijn eigen speelgoed was. Is het toen geweest, dat de gedachte me bekroop dat ik een leeftijdgenoot, een vriend van hem zou willen zijn, of was dat pas veel later, vijftien jaar later, toen we elkaar opnieuw ontmoetten? Dat kan ik nu niet meer met zekerheid zeggen, maar in ieder geval had ik meteen het sterke gevoel dat hem nooit onrecht mocht worden aangedaan. De Hodja sloeg voor een moment helemaal dicht en het gezelschap rond de Padisjah wachtte vol spanning. Ten slotte lukte het hem toch te beginnen. Hij bleek gloednieuwe dingen aan zijn verhaal te hebben toegevoegd: hij vertelde over de sterren alsof het levende, verstandige, wezens waren, en stelde ze voor als betoverende mysterieuze schepselen die op de hoogte waren van geometrie en rekenkunde en overeenkomstig die kennis draaiden. Toen hij zag dat de jongen af en toe zijn hoofd ophief en gefascineerd naar de hemel keek werd hij hoe langer hoe enthousiaster. Kijk, hier had hij dus de doorzichtige globes aanschouwelijk gemaakt, die ronddraaien met de sterren eraan vast, ja, en dat daar was dus Venus en die draaide zó, en dat grote ding daar, dat was de maan, en die maan, tja hoe zou hij het zeggen, wel, die verplaatste zich weer op een heel andere manier. De Hodja liet de sterren ronddraaien, en onder het draaien rinkelde de bel die aan het model vastzat, met een grappig geluid; de kleine Padisjah ging van schrik eerst even een stapje achteruit, maar daarna verzamelde hij moed en kwam heel voorzichtig, als was het een magische doos, dichter bij het tingelende toestel staan en probeerde het te begrijpen.

Nu, nu ik bezig ben mijn herinneringen bijeen te sprokkelen in een poging mijzelf een verleden toe te dichten, denk ik dat dit de voorstelling was van puur geluk, rechtstreeks afkomstig uit de sprookjes van mijn jeugd en daar voor ons opnieuw tot leven gewekt door de tekenaars die deze sprookjes plachten te illustreren. Over de op taartjes lijkende huizen met hun rode daken, ontbrak alleen nog maar de glazen stolp, waarin het sneeuwt als je hem omdraait. Toen begon de jongen vragen te stellen en de Hodja antwoordde hem op alles wat hij vroeg.

Die sterren, hoe bleven die nu eigenlijk in de lucht staan? Ze waren in doorzichtige bollen opgehangen! Waarvan waren die bollen dan gemaakt? Die waren van een stof die ze doorzichtig maakte! Raakten ze elkaar nooit? Nee, net als in de maquette zaten ze in verschillende lagen! Er waren zóveel sterren, waarom waren er dan niet evenveel bollen? Omdat zij veel verder weg waren! Hoe veel verder? Héél, héél ver weg! Hadden de sterren aan de hemel ook bellen die rinkelden als ze ronddraaien? Nee, wíj hadden die bel erbij gemaakt, zodat duidelijk was wanneer de sterren een hele cirkel hadden afgelegd! Had de donder ermee te maken? Nee! Wat hield er dan wel verband mee? De regen! Zou het morgen gaan regenen? Aan de hemel te zien ging het niet regenen! Wat vertelde de hemel over de zieke leeuw van de Padisjah? Dat hij beter zou worden, maar dat hij wel geduld moest hebben, enz. enz.

Toen de Hodja zijn gedachte over de zieke leeuw verkondigde, had hij, net als wanneer hij over de sterren praatte, even naar de hemel gekeken. Later toen we thuis waren, bagatelliseerde hij dit laatste voorval. Wat telde was niet of de jongen wetenschap en bedrog van elkaar kon onderscheiden, maar wel dat hij duidelijk 'achter' een en ander 'was gekomen'. Weer gebruikte hij die woorden en deed bovendien alsof ik wel degelijk wist wat datgene was waar men achter moest zien te komen. En ik dacht, wat maakt het eigenlijk uit of ik moslim word of niet? Uit de buidel die men ons bij ons vertrek uit het paleis had gegeven, kwamen maar liefst zes gouden dukaten te voorschijn. De Hodja zei dat de Padisjah duidelijk wél had begrepen dat er een logica schuilt achter wat er bij de sterren gebeurt. Ach, de Padisjah, later, veel later pas, heb ik hem werkelijk leren kennen! Wat mij vooral in de war had gebracht was dat ik me realiseerde dat deze zelfde maan ook bij ons thuis uit het raam te zien was en ik had weer kind willen zijn! De Hodja begon nog eens over eerdergenoemde kwestie: nee, de vraag over de leeuw was niet belangrijk, de jongen hield gewoon van dieren, dat was alles.

De volgende dag sloot hij zich op in zijn kamer en ging aan de slag: een paar dagen later liet hij de klok en de sterren weer op de wagen laden, en onder nieuwsgierige blikken van achter de tralievensters van de huizen, reed hij er dit keer mee naar de jongensschool. Toen hij 's avonds thuiskwam was hij uit zijn humeur, maar ook weer niet zo erg dat hij niet meer sprak: 'Ik dacht dat de kinderen er net als de sultan iets van zouden begrijpen, maar ik heb me vergist,' zei hij. Ze waren alleen maar bang geweest, en nadat de Hodja uitverteld was, had een jongen desgevraagd gezegd dat aan de andere kant van het hemelgewelf de hel was en was toen in huilen uitgebarsten. De hele daaropvolgende week was de Hodja bezig argumenten aan te dragen voor zijn geloof in het bevattingsvermogen van de Padisjah; steeds weer nam hij van minuut tot minuut de tijd met me door die we hadden doorgebracht op de tweede voorhof, en dan moest ik zijn argumenten beamen: de jongen was intelligent; ja. Hij kon nu al goed nadenken; ja. Hij beschikte nu al over zo'n sterke persoonlijkheid dat hij vast en zeker ooit onder de druk van zijn omgeving uit zou kunnen komen; ja! Voordat de sultan in latere tijden dromen zou gaan zien voor óns, waren wij nu dus bezig dat voor hém te doen. In deze periode werkte de Hodja aan het uurwerk. Ik verkeerde in de mening dat hij ook al het een en ander over het wapen had uitgedacht, want bij zijn bezoek aan de Pasja had hij hem in feite iets dergelijks toegezegd. Ik voelde echter wel dat hij zijn hoop op de Pasja had opgegeven. 'Die is net als de anderen geworden,' zei hij over hem. 'Hij wil ook niet weten wat hij nog niet weet!' En toen een week later de Padisjah hem opnieuw ontbood ging hij direct naar hem toe.

De sultan had de Hodja blij verwelkomd. 'Mijn leeuw is genezen,' had hij gezegd, 'uw woorden zijn uitgekomen.' Daarna waren ze samen met zijn gevolg naar de voorhof gegaan. De Padisjah had hem de vissen in de vijver laten zien en gevraagd hoe hij ze vond. 'Tja,' zei de Hodja later. 'Ze waren rood en ik kon eigenlijk niets anders bedenken om te zeggen.' Maar, op dat moment had hij een zeker systeem bespeurd in de bewegingen van de vissen en het was alsof ze in overleg met elkaar, probeerden dat systeem te perfectioneren. En dus had hij toen gezegd dat hij de vissen intelligent vond. Toen een dwerg, die met een van de haremeunuchen meeliep en de Padisjah onophoudelijk herinnerde aan de raadgevingen van zijn moeder, hierom lachte, had de sultan hem een standje gegeven. En toen zij de koetsen instapten had hij de roodharige dwerg voor straf niet bij zich in het rijtuig genomen.

Met de koets waren ze naar het leeuwenverblijf aan de Hippodroom gereden. De leeuwen, luipaarden en tijgers zaten met kettingen vast aan de pilaren van een voormalige kerk, en de Padisjah had ze één voor één aan de Hodja laten zien. Bij de leeuw waarvan de Hodja had voorspeld dat hij beter zou worden, waren ze even blijven staan; de jongen had tegen de leeuw gesproken, en hem aan de Hodja 'voorgesteld'. Daarna waren ze naar een andere leeuw gegaan die ergens achteraf in een hoekje lag. Dit dier dat lang niet zo stonk als de andere, was zwanger. Met glanzende ogen had de Padisjah gevraagd: 'Hoeveel jongen zal deze leeuwin krijgen, hoeveel mannetjes en hoeveel wijfjes?'

De Hodja had zich aan deze vraag geërgerd en toen iets gedaan waarvan hij later tegen mij zei: 'Dat was fout van me'; hij had tegen de Padisjah gezegd dat hij wel verstand had van astronomie, maar geen sterrenwichelaar was. 'Maar u weet de dingen beter dan oppersterrenwichelaar Hüseyin Efendi!' had het kind gezegd. De Hodja had geen antwoord gegeven, daar hij bang was dat de omstanders het zouden horen en het aan Hüseyin Efendi zouden doorvertellen. De nu pruilende Padisjah had er nog een schepje bovenop gedaan: wist de Hodja dan eigenlijk helemaal niets? Keek hij soms zomaar voor de grap naar de sterren, nee toch...?

Daarop had er voor de Hodja niets anders opgezeten dan die keer meteen al van alles te vertellen wat hij eigenlijk tot een later tijdstip had willen bewaren: hij had gezegd dat hij van de sterren veel dingen had geleerd en dat hij daar zeer nuttige conclusies uit had getrokken. Het zwijgen van de met grote ogen luisterende Padisjah had hem een gunstig teken geleken, en hij was verder gegaan en had gezegd dat het goed zou zijn als er een observatorium werd gemaakt om de sterren te bestuderen; ongeveer net zoiets als de sterrenwacht die Ahmet I zaliger, de grootvader van zíjn grootvader, Murat III, negentig jaar geleden zo goed was geweest voor wijlen Takiyüddin Efendi te laten maken, maar die later door verwaarlozing in verval was geraakt; of nee, iets geavanceerders dan dat: een wetenschapslaboratorium moest het worden, waar allerlei geleerden bijeen zouden kunnen komen, niet alleen geleerden die sterren bestuderen, maar ook onderzoekers van de hele kosmos, van de rivieren en de zeeën, van de wolken en de bergen, van de bloemen en de bomen en, natúúrlijk, ook van de dieren; een plek waar die geleerden dan al pratend en discussiërend over alles wat zij hadden waargenomen de wetenschap weer een stap verder, ja, en daarmee ons verstand, op een hoger ontwikkelingsniveau zouden kunnen brengen.

De Padisjah had braaf naar dit plan van de Hodja, dat ik nu overigens voor het eerst hoorde, geluisterd alsof het een sprookje was. Maar tijdens de rit terug naar het Paleis had hij weer gevraagd: 'Wat denkt u, wat zal de leeuwin werpen?' Nu had de Hodja inmiddels over een antwoord kunnen nadenken en hij had gezegd: 'De jongen die geboren worden, zullen met elkaar in evenwicht zijn!' Thuis zei hij tegen mij dat in deze uitspraak geen enkel gevaar school. 'Ik zal dat *domme* joch op mijn hand krijgen,' zei hij. 'Ik ben bekwamer dan oppersterrenwichelaar Hüseyin Efendi!' Het had mij verbaasd dat hij dat woord gebruikte, toen hij het over de Padisjah had, sterker nog, ik weet ook niet precies waarom, het had me gehinderd. In die dagen hield ik me, met flinke tegenzin overigens, uitsluitend nog bezig met het huishouden.

Later begon hij dat woord te gebruiken alsof het een toversleutel was die op alle sloten paste: ze dachten niet na over de sterren die boven hun hoofd rondtrokken, keken er zelfs niet naar, omdat ze *dom* waren; ze vroegen van wat ze gingen leren vooraf al waar het goed voor was, omdat ze *dom* waren; ze hadden geen belangstelling voor details maar alleen maar voor samenvattingen, omdat ze *dom* waren; ze leken allemaal op elkaar, omdat ze *dom* waren, enz. Hoewel ik nog maar enkele jaren eerder, in mijn eigen land, er zelf ook van had genoten dit soort dingen te zeggen, reageerde ik niet op de tirades van de Hodja. Hij besteedde in die tijd trouwens helemaal geen aandacht aan mij, hij had alleen nog aandacht voor die domkoppen van hem. De domheid die ík beging, was van een heel ander kaliber. Praatlustig als ik in die dagen was, vertelde ik hem een droom die ik had gehad: in mijn droom ging híj in míjn plaats ervandoor naar mijn land en trouwde met mijn verloofde; op de bruiloft had niemand in de gaten dat hij mij niet was; en wat mij betreft, ik was daar ook, in Turkse kleren, en keek vanaf de zijkant toe, en ik was tijdens de feestelijkheden mijn moeder en mijn gelukkige verloofde tegengekomen; maar zij hadden mij beiden, zonder door te hebben wie ik was, de rug toegekeerd en waren weggelopen, ondanks mijn tranen, die me wakker maakten.

In deze tijd werd de Hodja twee keer naar het huis van de Pasja geroepen. Het bleek dat deze het niet zo leuk vond dat de Hodja, buiten hem om, zo intiem met de Padisjah was geworden, want hij had hem aan een stevige ondervraging onderworpen. Dat hij ook naar mij had gevraagd, en zelfs enige naspeuringen met betrekking tot mijn persoon had laten verrichten, vertelde de Hodja mij pas veel later, nadat de Pasja weer uit Istanbul was verbannen. En dat was maar goed ook, anders had ik zeker voortdurend in angst geleefd vergiftigd te zullen worden. Toch voelde ik intuïtief dat de Pasja zich veel meer voor mij dan voor de Hodja interesseerde, en het feit dat de gelijkenis tussen de Hodja en mij de Pasja veel onrustiger maakte dan mij, streelde mijn trots. In die periode was het alsof deze gelijkenis een geheim was, dat de Hodja nooit zou willen leren kennen, en waarvan het bestaan mij een vreemd soort moed gaf. Soms dacht ik dat het alleen aan deze gelijkenis te danken was dat ik, in ieder geval zolang de Hodja maar in leven bleef, buiten gevaar was. Misschien ging ik daarom ook tegen de

Hodja in, wanneer hij zei dat de Pasja ook weer een van die domkoppen was, en dat werkte hem danig op zijn zenuwen. Te bemerken dat hij niet zonder mij kon en zich tegelijk ook voor mij geneerde, bracht me tot een onbeschaamd gedrag, dat ik niet van mezelf kende. Ik bleef maar doorzeuren over de Pasja en wat de Pasja allemaal over ons tweeën had gezegd, tot de Hodja bijna stikte van woede, waarbij hem waarschijnlijk zelf niet duidelijk was waarom hij zo vreselijk kwaad werd. En hij bleef maar herhalen: de Pasja zou onderuit worden gehaald; binnenkort zouden de Janitsaren* iets ondernemen; hij had het gevoel dat er ook binnen de Paleismuren van alles broeide. Daarom, als hij al, zoals de Pasja hem had gezegd, aan een wapen zou gaan werken, dan kon hij dat maar beter rechtstreeks aan de Padisjah aanbieden, en niet aan de een of andere voorbijgaande vizier.

Een tijd lang dacht ik dat hij zich alleen nog maar bezig hield met het ontwerpen van dat onduidelijke wapen; volgens mij was hij eraan bezig, maar kwam hij geen stap verder, want ik was er zeker van dat hij zich er tegen mij over uit zou laten áls hij vorderingen maakte en ook al zou hij proberen me te kleineren, hij zou me toch vertellen wat hij had ontworpen, om te horen wat ik ervan dacht. Op een avond waren we, zoals we eens in de twee, drie weken gewoon waren, naar een huis in Aksaray geweest, hadden daar naar muziek geluisterd en met vrouwen geslapen, en waren nu op de weg terug naar huis. De Hodja zei tegen me dat hij van plan was tot de ochtend te gaan werken, en vroeg me daarna iets over vrouwen, een onderwerp waar we het nog nooit over hadden gehad, maar zonder mijn antwoord af te wachten riep hij direct daarop: 'Ik denk na!' Zonder verder nog een woord te zeggen sloot hij zich zo gauw we thuis waren in zijn kamer op. Ik bleef achter tussen de boeken – te sloom om zelfs de bladzijden ervan alleen maar om te slaan – en dacht na over hem: zijn ideeën en zijn, godweet, wélk ontwerp, waarvan ik geloofde dat hij er geen stap verder mee kwam; ik zag voor me hoe hij in de dichte kamer aan de tafel, waaraan hij nog steeds niet geheel gewend was, naar de lege vellen papier voor zich zat te staren; en hoe hij daar urenlang met schaamte en woede in totale ledigheid zat...

Lang na middernacht kwam hij zijn kamer uit en met de bedeesde bescheidenheid van een schooljongen die hulp wil omdat hij in een klein probleempje is blijven steken, vroeg hij mij ook in zijn kamer te komen en bij hem aan tafel plaats te nemen. Weer gezeten, zei hij zonder enige schroom: 'Je moet me helpen, laten we samen over hen nadenken, alléén kom ik niet verder.' Een moment dacht ik dat het over iets ging met betrekking tot vrouwen en ik zweeg. Toen hij me zo met een lege blik in de ogen zag kijken, zei hij in alle ernst: 'Ik denk na over al die stomkoppen. Waarom zijn ze zo dom?' en alsof hij mijn antwoord al kende, voegde hij eraan toe: 'Goed, ze zijn dan misschien niet dom, maar er ontbreekt wel degelijk iets in hun bovenkamer.' Ik vroeg niet wie die 'zij' waren. 'Is er in die hoofden van hen dan helemaal geen plaats om wat kennis op te slaan?' zei hij en keek om zich heen, alsof hij een bepaald woord zocht. 'Er moet in hun hoofd toch een soort doos zijn, of dozen, zoals de lades van die kast daar, zo'n plekje waar ze de meer ingewikkelde dingen in kunnen bewaren, maar het lijkt wel alsof ze iets dergelijks niet hebben. Als je snapt wat ik bedoel.' Ik wilde mezelf graag doen geloven dat ik er iets van begreep, maar slaagde daar niet erg in. Lange tijd zwegen we tegen elkaar. 'Nou ja, wie kan ook eigenlijk weten, waarom een mens nu juist zús of juist zó in elkaar steekt?' zei hij ten slotte. 'Ach, was jij maar een echte arts,' zei hij toen, 'dan had je me ook kunnen onderwijzen over ons lichaam, en het inwendige van ons lichaam en ons hoofd.' Het was alsof hij zich een beetje geneerde, maar hij herstelde zich en verklaarde op ongedwongen toon – waartoe hij zich volgens mij forceerde om mij niet bang te maken –: hij zou het niet opgeven, hij zou doorgaan tot het einde, zowel omdat hij nieuwsgierig was naar wat er zich aan dat einde bevond, als ook omdat er niets anders op zat. Ik begreep niets van wat hij zei, maar het beviel me wel te denken dat hij het allemaal van mij zou hebben geleerd.

Hij herhaalde deze woorden steeds opnieuw, op een manier alsof wij béiden wisten wat ze te betekenen hadden. Maar door zijn pose van vastbeslotenheid heen schemerde de zweverige student met zijn duizend-en-een vragen, die hij eerder was; iedere keer dat hij zei dat hij tot het einde zou gaan, voelde ik me alsof ik getuige was van het afwisselend verdrietige en opstandige geweeklaag van een reddeloos verliefde, die zich afvraagt wat hem in vredesnaam toch overkomt. In die dagen zei hij het vaker en vaker; hij zei het toen hij hoorde dat de Janitsaren bezig waren een opstand voor te bereiden, hij zei het nadat hij mij had verteld dat de leerlingen van de jongensschool meer interesse bleken te hebben voor engelen dan voor sterren, hij zei het nadat hij een handschrift, dat hij voor veel geld had bemachtigd en nog niet voor de helft gelezen had, alweer woedend in een hoek had gesmeten en ook nadat hij gebroken had met zijn vrienden met wie hij eigenlijk alleen nog maar uit gewoonte in de Getijdenkamer samenkwam en babbelde, èn hij zei het nadat hij in het niet goed verwarmde badhuis kou had gevat en op bed was gaan liggen met zijn geliefde boeken overal om zich heen op het gebloemde dekbed, en nadat hij de onnozele praat van de mannen die op de binnenhof van de moskee hun wassingen verrichtten had aangehoord; hij herhaalde het nog eens nadat hij had vernomen dat de vloot door de Venetianen was verslagen, en na geduldig geluisterd te hebben naar de buurtbewoners die op bezoek kwamen om hem te zeggen dat hij, gezien zijn gevorderde leeftijd, toch eens moest trouwen, zei hij het weer: hij zou tot het einde doorgaan.

Nu denk ik: wíe, wélke lezer, zal, na mijn verhaal tot het einde te hebben gelezen, na geduldig alles te hebben gevolgd wat er is gebeurd, of wat ik er met de nodige fantasie van heb gemaakt, kunnen beweren dat de Hodja zijn woord niet heeft gehouden?

4

Op een dag, tegen het einde van de zomer, hoorden we dat het lijk van oppersterrenwichelaar Hüseyin Efendi was gevonden aan de kust bij Istiniye. Sadik Pasja had eindelijk het doodvonnis voor hem los weten te krijgen. Hüseyin Efendi was direct ondergedoken maar had zijn schuilplaats verraden door links en rechts brieven te versturen waarin stond dat er voortekenen waren dat de Pasja binnenkort zou sterven. Tijdens zijn erop volgende poging om naar Anatolië over te steken en op die manier te ontkomen, hadden de beulen zijn roeiboot ingehaald en hem verdronken. Toen de Hodja hoorde dat er beslag was gelegd op alle bezittingen van de opperwichelaar, kwam hij in actie teneinde diens papieren, boeken en schriften in handen te krijgen; met dat doel gaf hij al het geld dat hij bij elkaar gespaard had uit aan steekpenningen. Nadat hij binnen een week de duizenden bladzijden had verslonden die hij op een avond in een reusachtige kist mee naar huis had gebracht, zei hij woedend dat hij zelf wel heel wat beters kon produceren dan dat.

Hij voegde de daad bij het woord en ik hielp hem daarbij. Hij had besloten twee verhandelingen aan de Padisjah aan te bieden, 'Het leven der dieren' en 'De wonderen der schepping', en ik vertelde hem ten behoeve daarvan over alles wat ik zoal had gezien in de uitgestrekte tuinen en weilanden bij ons huis in Empoli, over de bijzondere paarden, de gewone ezeltjes, de hazen en de hagedissen. Op de opmerking van de Hodja dat mijn geheugen wel erg beperkt was, spande ik mij nog eens extra in en vertelde over de besnorde Franse kikkers in onze lelievijver, en over de blauwe papegaaien die met een Siciliaans accent spraken, en over de eekhoorntjes die voor het paren eerst elkaars vacht schoonmaakten.

Een hoofdstuk waar we langdurig en met veel zorg aan werkten, betrof het leven der mieren, een onderwerp dat de sultan zeer interesseerde, maar waarover hij nooit voldoende kennis in de praktijk op kon doen, omdat de eerste voorhof van het Paleis veel te goed schoon werd gehouden.

Terwijl de Hodja het logisch georganiseerde en gereglementeerde leven van de mieren beschreef, droomde hij ervan hoe wij in de toekomst de Kind-Padisjah zouden onderrichten. En dus vertelde hij uitputtend over de leeforde van de rode mieren van Amerika, omdat hij de ons welbekende zwarte mieren niet interessant genoeg vond. Het bracht hem meteen ook op het idee een zowel informatief als moraliserend boek te schrijven over het wel en wee van de luie inboorlingen die leven in dat slangenland dat Amerika wordt genoemd, en die nooit iets veranderen aan het leven dat zij leiden; toen hij me de bijzonderheden voor deze uiteenzetting vertelde, zei hij dat hij er ook in zou schrijven over een kind-koning die gek was op dieren en de jacht, maar ten slotte door de ongelovige Spanjaarden op een paal was gespietst, omdat hij zich niet interesseerde voor de wetenschap. Ik ben er echter nog steeds heilig van overtuigd dat hij het lef niet had om dit boek ook echt af te maken. Over de tekeningen van de miniaturist wiens hulp wij hadden ingeroepen voor het aanschouwelijk maken van de gevleugelde buffels, de ossen met zes poten, en de slangen met twee koppen, waren wij beiden niet tevreden. 'Vroeger was de werkelijkheid inderdaad wel zo,' zei de Hodja, 'maar nu is alles driedimensionaal geworden, de werkelijkheid heeft een schaduw. Kijk maar: zelfs de meest gewone huis-, tuin- en keukenmier sleept zijn schaduw geduldig met zich mee, alsof hij zijn tweelingbroer achter zich meedraagt.'

Omdat de sultan hem nergens om had gevraagd, had de Hodja besloten dat hij de verhandelingen het beste via de Pasja aan hem kon aanbieden, maar had daar later veel spijt van gekregen. De Pasja was enorm tegen hem van leer getrokken: de sterrenkunde bestond uitsluitend uit spitsvondige schijnredeneringen en oppersterrenwichelaar Hüseyin Efendi had gereikt naar druiven die te hoog hingen en was bezig geweest met politieke kuiperijen. De Pasja verdacht de Hodja ervan nu een oogje te hebben op diens opengevallen plaats; hij, de Pasja, geloofde echt wel in wat men wetenschap noemde, maar zijn belangstelling ging meer uit naar wapens dan naar sterren; het werk van een opperwichelaar droeg bovendien het onheil in zich, dat bleek ook wel uit het feit dat iedereen die in dat ambt terechtkwam, vroeg of laat vermoord werd, of, erger nog, spoorloos verdween, zodra hij maar één voet op verboden terrein zette, en dat was de reden waarom hij ook helemaal niet wilde dat de Hodja, die hij zeer waardeerde en in wiens kennis hij veel vertrouwen had, deze functie op zich zou nemen; hij had trouwens gehoord dat Sitki Efendi de nieuwe opperwichelaar zou worden, een man die precies dom en naïef genoeg was om dat werk naar behoren te kunnen doen; ja, en hij had wel gehoord dat de Hodja de hand had weten te leggen op de boeken van de voormalige opperwichelaar, maar hij wilde nu toch van hem vragen zich niet verder met dit werk in te laten. De Hodja had slechts geantwoord dat hij zich nergens anders mee bezig hield dan met de wetenschap, en hem de verhandelingen gegeven die hij de Padisjah wilde geven. 's Avonds thuis zei hij dat hij zeer zeker van plan was zich met niets anders dan met wetenschap bezig te houden, maar dat hij in het belang van die wetenschap wel álles zou doen wat noodzakelijk was, en sprak vervolgens allerlei verwensingen uit aan het adres van de Pasja.

Benieuwd als hij was naar de reactie van de jongen op de kleurrijke dieren, ontsproten aan onze geest, vroeg de Hodja zich de hele volgende maand ongeduldig af waarom hij nog altijd niet op het Paleis ontboden was. Maar eindelijk ontving hij een uitnodiging voor een jachtpartij. We gingen naar het slot Mirahor aan de oever van de Kağıthane Beek: híj om zich bij de Padisjah te voegen, ík om het gebeuren van enige afstand gade te slaan; het was er een drukte van jewelste. De hoofdopziener had alles in gereedheid gebracht: we keken toe hoe een groot aantal hazen en vossen tegelijk losgelaten werden en hoe even later de jachthonden achter hen aan werden gestuurd; één haas dwaalde af van zijn lotgenoten, en alle ogen volgden hem toen hij zich in het water stortte; al spartelend en zwemmend leek het diertje naar de overkant te willen ontkomen en de opzieners wilden daar ook honden naar toe jagen, maar zelfs wij die ver weg stonden konden horen hoe de Padisjah dit voorkwam: 'Laat die haas de vrijheid!' riep hij; aan de overkant echter stond een vreemde hond, de haas sprong weer terug het water in, maar de hond ging achter hem aan en ving hem. Meteen daarop stormden de jachtopzieners van alle kanten op de hond af en rukten de haas los uit zijn bek. Ze brachten hem naar de Padisjah. Het Kind liet het diertje meteen zorgvuldig nakijken, en toen bleek dat het geen ernstige verwondingen had opgelopen was hij geweldig blij en beval hij de haas een eind de berg op te brengen en daar los te laten. Vervolgens schaarde zich een hele menigte rond de Padisjah, waaronder ook de Hodja en de roodharige dwerg, zoals ik duidelijk kon zien.

's Avonds vertelde de Hodja mij, dat de Padisjah hun gevraagd had hoe deze gebeurtenis geduid moest worden. Toen als laatste de beurt aan hem was, had hij gezegd dat er van een geheel onverwachte kant vijanden van de sultan zouden opdagen, maar dat hij heelhuids en zonder kleerscheuren aan het gevaar zou ontkomen. En al hadden tegenstanders van de Hodja nog geprobeerd af te geven op deze uitleg, die de Padisjah met de haas vereenzelvigde en sprak van levensgevaar, de sultan zelf had de meute, waaronder ook de nieuwe opperwichelaar Sitki Efendi, tot zwijgen gebracht door te zeggen dat hij de woorden van de Hodja goed in zijn oren zou knopen. Later, toen ze hadden staan kijken naar het droevig einde van een vos die door woeste jachthonden in stukken uiteen werd gescheurd, en naar de doodsstrijd van een valk die zich met zijn laatste krachten verdedigde tegen de en masse aanvallende arenden, had de sultan gezegd dat de leeuwin twee jongen had geworpen, in evenwicht met elkaar, een mannetje en een vrouwtje, en dat hij de dierenboeken heel erg mooi vond, en hij had van alles gevraagd over de blauwgevleugelde stieren en roze katten die voor kwamen langs de oevers van de Nijl. De Hodja verkeerde in een vreemd soort overwinningsroes en was tegelijkertijd bang.

Veel later hoorden we dat er in het Paleis het een en ander had plaatsgevonden: Kösem Sultan, de grootmoeder van de sultan, had samen met de commandanten van de Janitsaren een komplot gesmeed om de sultan en zijn moeder te doden en prins Süleyman op zijn plaats te zetten, maar het was haar niet gelukt. Toen was Kösem Sultan vermoord, ze hadden haar net zo lang gewurgd tot het bloed haar neus en mond uitkwam. De Hodja kwam aan de weet wat er gebeurd was dankzij de roddelpraatjes van die domme vrienden van hem, die hij nog steeds zag in de Getijdenkamer; ook ging hij nog wel naar de school, maar verder kwam hij nergens meer.

In de herfst dacht hij er een tijd lang over om zijn kosmografische theorie weer ter hand te nemen, maar hij werd bij voorbaat al door moedeloosheid bevangen: daarvoor had hij toch echt een sterrenwacht nodig; bovendien zoals hij zei: de domkoppen gaven geen cent om de sterren, maar de sterren deden dat ook niet om de domkoppen. Het werd winter en de donkere dagen waren al aangebroken, toen we op een dag hoorden dat de Pasja ontslagen was. Ze hadden hem ook willen wurgen, maar dáár had de sultanmoeder niet mee ingestemd, en ze hadden zijn hele hebben en houden in beslag genomen en hem naar Erzincan verbannen. Verder hebben we, behalve bij zijn overlijden, nooit meer iets over hem vernomen. De Hodja zei dat hij voor niemand meer bang was en dat hij ook niemand maar een greintje dank verschuldigd was; ik weet niet in hoeverre hij, toen hij dat zei, al voor zichzelf had uitgemaakt of hij van mij nu wel of niet iets leerde. Hij was nu ook niet meer bang voor het Kind en zijn moeder. In woorden was hij de strijdbaarheid zelve: hij zou 'óf de schouder zijn voor de vogel van het geluk, óf het aas voor de gieren', maar in feite zaten we als makke lammetjes in ons huis tussen de boeken, praatten over de rode mieren in Amerika en fantaseerden over een nieuw *Groot mierenboek*.

Die winter brachten we als zovele ervóór en zovele erná thuis door. Er gebeurde helemaal niets. In koude nachten zaten we beneden in het huis, waar de noordooster door deur en schoorsteen binnendrong, tot aan de ochtend te praten. Hij verachtte mij niet meer, ofwel hij was te lui om nog te doen alsof. Onze verbondenheid leek me vooral te danken aan het feit dat niemand, noch iemand van het Paleis, noch uit de kringen daaromheen, hem nog nodig had. Soms ook dacht ik dat hij de gelijkenis tussen ons net zo goed zag als ik; als hij naar mij keek, zag hij dan zichzelf, vroeg ik me nieuwsgierig af: en wat dacht hij dan? Wij hadden weer een lange verhandeling over het leven der dieren voltooid, maar omdat de Pasja was verbannen, en omdat de Hodja zei dat hij niet bereid was de slechte adem te moeten ruiken van welke verre kennissen dan ook die in het Paleis kind aan huis waren, bleef het boek op tafel liggen. Tijdens die in ledigheid doorgebrachte dagen bladerde ik het af en toe uit verveling door, keek naar de paarse sprinkhanen en vliegende vissen, die ik zelf getekend had, las hier en daar wat en vroeg me af wat de Padisjah zou denken als hij het zou lezen.

Pas aan het begin van de lente werd de Hodja weer naar het Paleis geroepen. Het Kind was heel blij geweest hem te zien; uit elk gebaar, elk woord was, naar de Hodja vertelde, op te maken geweest dat hij vaak aan hem had gedacht, maar dat hij puur onder druk van de domkoppen die hem omringden, geen contact met hem had gezocht. De jonge Padisjah had het gesprek meteen op het komplot dat zijn grootmoeder op touw had gezet gebracht, hij was ervan overtuigd dat dít het gevaar was geweest dat de Hodja had voorzien, en hij had bovendien juist voorspeld dat de sultan het er heelhuids vanaf zou brengen. Die bewuste nacht in het Paleis, was de jongen helemaal niet bang geweest toen hij de kreten hoorde van degenen op wier leven een aanslag werd gepleegd, hij had gewoon de hele tijd gedacht aan de haas in de bek van die verraderlijke hond, die uiteindelijk toch niet had doorgebeten. Na deze lovende woorden, had de Padisjah gezegd dat hij de Hodja een leengoed wilde geven. Zonder een nieuwe voorspelling te hoeven doen had de Hodja kunnen vertrekken, nadat hem was gezegd dat hij tot het einde van de zomer moest wachten op de feitelijke toekenning van zijn nieuwe bezit.

Vertrouwend op de toekomstige opbrengst uit het landgoed, maakte de Hodja gedurende de wachttijd al plannen voor een klein formaat sterrenwacht in de tuin; hij berekende de kosten van de instrumenten die hij er wilde plaatsen, en de maten van de sleuf die voor de kijker gegraven moest worden; maar dit keer zag hij het al heel snel niet meer zitten. Hij had in diezelfde periode bij een handelaar in oude geschriften een kopie gevonden van een boek met de verzamelde resultaten van de astronomische observaties van Takiyüddin, in een overigens verschrikkelijk handschrift. Hij besteedde twee hele maanden aan het controleren van de observaties op hun betrouwbaarheid, maar moest het ten slotte hevig geïrriteerd opgeven, omdat hij er niet meer uitkwam welke fouten nu te wijten waren aan zijn eigen goedkope instrumenten, welke aan Takiyüddin, en welke veroorzaakt waren door de onzorgvuldigheid van de kopiist met zijn slechte handschrift. Wat zijn humeur echter nog het meest bedierf waren de rijmende, metrische versregels die een van de vroegere bezitters van het boek plompverloren had neergekrabbeld in de ruimte tussen de tabellen van in zestigtallig stelsel berekende driehoeksmetingen. De oude eigenaar van het boek was met behulp van onder andere de alfabetnummermethode tot bescheiden constateringen gekomen aangaande de toekomst van de wereld: hem zou na vier dochters eindelijk een jongen geboren worden; er zou een pestgolf uitbreken die de zondaars van de onschuldigen zou scheiden; zijn buurman Bahattin Efendi zou komen te overlijden. Alhoewel de Hodja toen hij ze las, deze voorspellingen voor even wel amusant vond, werd hij er daarna toch moedeloos van. En ten slotte begon hij met een vreemde en beangstigende stelligheid over de binnenkant van onze hoofden te praten: hij had het erover alsof het om kisten ging waar we de deksels van kunnen oplichten teneinde te kunnen zien wat erin zit, of over ladenkasten, zoals we in de kamer hadden staan.

Het leengoed dat de Padisjah hem had beloofd, kon tegen het einde van de zomer nog steeds niet worden toegekend, en ook niet toen het al naar de winter liep. De volgende lente echter zou er een nieuwe landkartering plaatsvinden, was het verhaal, dus hij moest nog even wachten. In de tussentijd werd hij, hoewel niet vaak, toch met enige regelmaat naar het Paleis geroepen waar hij antwoord moest geven op vragen als: wat voorspelt een plotseling gebarsten spiegel? en wat het inslaan van een groene bliksem in het open veld op het eiland Yassiada? of: wat heeft het te betekenen dat een karaf met morellensap, gewoon terwijl hij ergens stond, in duizend bloedrode stukjes was uiteengesprongen? Hij beantwoordde er ook de vragen van de Padisjah over de dieren uit onze laatstgeschreven verhandeling. Als hij dan weer thuis was, zei hij iedere keer dat het Kind nu in zijn puberteit gekomen was, de leeftijd waarop een mens het makkelijkst te beïnvloeden was, en dat de Padisjah als was in zijn handen zou worden.

Met dat doel begon hij aan een splinternieuw boek. Hij had van mij gehoord over de ondergang van de Azteken en verhalen uit de memoires van Cortez, en hij had nog dat ene verhaal in zijn hoofd, dat hij al eerder had bedacht, over die kind-koning die op een paal werd gespietst omdat hij zich niet met wetenschap in had willen laten. In die dagen had hij de mond vol over gewetenloze mensen die met kanonnen en ander wapentuig, met sprookjes en geweren goede mensen in hun halfslaap overrompelden en het hoofd deden buigen voor hun regels, maar wat hij, als hij eenmaal alleen aan zijn tafel zat, ook werkelijk opschreef, bleef lange tijd voor mij verborgen. Ik voelde wel dat hij wachtte tot ik belangstelling zou tonen, maar het heimwee naar mijn vaderland dat mij in die dagen ineens weer had overspoeld, had de haat die ik tegen hem voelde, flink aangewakkerd; dat was de reden dat ik mijn nieuwsgierigheid onderdrukte en erin slaagde volstrekt onverschillig te lijken voor de resultaten die zijn creatieve geest wist te bereiken op grond van de dingen die ik hem had verteld en van goedkope, en slechte boeken die bij het lezen al uit elkaar vielen. En zo zag ik met voldoening hoe hij met de dag het vertrouwen in zichzelf en vervolgens ook in wat hij had proberen te schrijven, verloor.

Toch ging hij elke dag weer naar de kleine kamer boven, die hij tot zijn werkkamer had bestempeld, en zat daar aan de tafel die ik eertijds had laten maken; nadenken deed hij waarschijnlijk nog wel, maar schrijven kon hij niet, dat voelde ik, of liever gezegd dat wist ik gewoon; ik wist dat hij de moed niet meer had om op te schrijven wat hij had bedacht, vóór ik hem had gezegd wat ík er van vond. Nu was wat zijn geloof in zichzelf in de weg stond niet zozeer een behoefte aan míjn, door hem zo duidelijk verachte, simpele gedachten. Wat hij wilde weten waren de gedachten van mensen *als* ik, van 'hen', van de anderen, die mij al die kennis hadden geleerd, die in mijn hoofd die dozen, die laatjes met wetenschap hadden geplaatst. Wat dachten 'zij' nu eigenlijk in zus of zo'n geval? Ja, ik wist het, hij smachtte ernaar me dát te vragen, maar kon het niet opbrengen het ook daadwerkelijk te doen! Ik wachtte maar en wachtte maar tot hij zijn trots zou overwinnen en me zonder blikken of blozen die vraag zou stellen! Maar hij deed het niet. Na verloop van tijd liet hij het boek – en ik heb geen idee of hij het nu wel of niet had afgemaakt – verder liggen en keerde hij terug naar zijn eeuwige litanie over de 'domkoppen'. De kern van het wetenschappelijk onderzoek dat voor alles verricht moest worden, was erachter zien te komen, waaróm zij zo dom waren; eerst moest hij ontdekken waarom het inwendige van hun hoofden was zoals het was, en met die kennis in het achterhoofd zou hij verder kunnen! Ik geloofde dat hij zichzelf zo vaak herhaalde uit een gevoel van wanhoop, omdat de tekenen van voorspoed en geluk die hij van het Paleis verwachtte maar niet kwamen. De tijd verstreek in ledigheid en de puberteit van de Padisjah diende op deze manier nergens toe.

Maar de zomer vóórdat Köprülü Mehmet Pasja de nieuwe grootvizier werd, kreeg de Hodja dan toch eindelijk zijn leengoed en nog wel op de plek van zijn voorkeur: het bestond uit twee molens in de buurt van Gebze en twee dorpen, een uur gaans van het stadje. In de oogsttijd gingen we naar Gebze en huurden ons oude huis weer, dat toevallig net leeg stond. Maar de Hodja leek al die maanden die wij hier vroeger hadden doorgebracht, al die dagen dat hij met afgrijzen had zitten staren naar de tafel die ik de timmerman had laten maken, helemaal vergeten te zijn. Het was alsof tegelijk met het huis ook de herinneringen verouderd waren, hun glans hadden verloren; hij was trouwens ook veel te ongeduldig om zich met wát dan ook uit het verleden bezig te houden. Een paar maal ging hij op inspectie naar zijn dorpen en hij maakte een lijst van de opbrengsten van het leengoed in de voorgaande jaren. Mede onder invloed van de roddels over de bedrieger Tarhuncu Ahmet Pasja, die hij had gehoord van zijn vrienden van de Getijdenkamer, maakte hij bekend dat hij een boekhoudmethode had bedacht, die de calculaties behorende bij een juist beheer van het leengoed, veel eenvoudiger en controleerbaarder maakten.

Maar deze goede vinding kon hem niet bevredigen, hij geloofde zelf niet echt in de originaliteit en het nut ervan. In de lange nachten dat hij in de achtertuin van het oude huis loos en ledig naar de hemel zat te turen was zijn passie voor de astronomie, die hij diep had weggedrukt, weer opgelaaid. Ik moedigde hem enige tijd aan, in de veronderstelling dat hij zijn ideeën weer een stapje verder tot ontwikkeling zou brengen, maar het bleek helemaal niet in zijn bedoeling te liggen om echt waarnemingen te gaan doen, of zijn verstand in werking te zetten. Wat hij wel deed was het volgende: hij nodigde de slimste kinderen en jongelui, die hij in het dorp en in Gebze kende, bij ons thuis uit, met het doel ze in de hoogste wetenschap te onderrichten. Hij liet mij zijn model van de kosmos uit Istanbul halen, smeerde en oliede het en repareerde de bellen en stelde het toen op in de achtertuin; en, waar hij de hoop en de moed vandaan haalde begrijp ik nu nog niet, maar op een avond herhaalde hij voor deze kinderen, vol vuur en zonder er ook maar iets aan af te doen, zijn theorie over het firmament, die hij jaren geleden eerst aan de Pasja en daarna aan de Padisjah had uiteengezet. Het 'gelezen' schapehart waar het lauwe bloed nog uit sijpelde, dat we de volgende morgen voor onze huisdeur vonden, maakte een eind aan wát hij ook gehoopt had voor de astronomie én voor de jeugd, die zonder ook maar één vraag te hebben gesteld rond middernacht weer naar huis was gegaan.

Maar hij nam deze nederlaag nu ook weer niet heel zwaar op: natuurlijk, het sprak voor zich, zij waren niet degenen van wie je kon verwachten dat ze zouden snappen hoe de wereld en de sterren draaiden, en het was op dit moment ook nog niet nodig dat zij het begrepen; de enige echter die het wél moest begrijpen, stond nu op het punt zijn puberteit achter zich te laten en had ons misschien wel gezocht tijdens onze afwezigheid, terwijl wij die kans onbenut door onze vingers lieten glippen voor de vijf, zes stuivers die we hier na de oogst zouden vangen. Daarom regelden we onze zaken, stelden van die slimme knapen degene die er het allerslimste uitzag aan als rentmeester en keerden onverwijld terug naar Istanbul.

De drie jaren die volgden zijn onze slechtste jaren geweest. Iedere dag was een herhaling van de voorgaande, iedere maand een herhaling van de voorbije maand, ieder seizoen een eentonige en deprimerende herhaling van wat wij een andere keer al hadden meegemaakt: alsof we in doffe wanhoop dezelfde dingen steeds opnieuw zagen gebeuren en slechts leken te wachten op een onbenoembare catastrofe. Weer werd de Hodja af en toe naar het Paleis geroepen en werd er van hem verwacht dat hij voorspellingen deed die zogezegd het water en de zeep niet raakten; weer zat hij iedere donderdag na het middaguur met zijn wetenschappelijke vrienden te kletsen in de Getijdenkamer van de moskee; weer, zij het niet zo regelmatig als vroeger, onderwees en tuchtigde hij 's morgens de schooljongens; weer scheepte hij de koppelaars af die een poging kwamen wagen, al was er nu een lichte twijfel bij hem merkbaar; weer zag hij zich voor hij met een vrouw kon slapen genoodzaakt eerst naar muziek te luisteren waar hij absoluut niet van hield; en weer sloot hij zich op in zijn kamer en ging languit op zijn bed op de grond liggen, waar hij dan, na een tijd lang driftig en doelloos gebladerd te hebben in de als altijd om hem heen liggende boeken en handschriften, urenlang naar het plafond lag te kijken en te wachten.

Wat zijn wanhoop nog vergrootte, waren de overwinningen van Köprülü Mehmet Pasja, waarover hij tot in de finesses hoorde van zijn vrienden. Of het nu de overwinning van de vloot op de Venetianen was, of de herovering van de eilanden Limnos en Bozca, of de verplettering van muiterkapitein Pasja Hasan de Abassiet, of wat dan ook waar hij me vervolgens over doorzaagde, altijd voegde hij er tot slot aan toe, dat het slechts om tijdelijke en tevens de laatste successen ging; het waren de laatste stuiptrekkingen van die mankepoot, die binnenkort in de modder van zijn eigen stupiditeit en onbekwaamheid zou worden begraven: het was alsof hij wachtte op een rampspoed die de zich almaar herhalende en ons steeds zwaarder vallende dagen een onverwachte wending zou geven. Bovendien was zo langzamerhand zijn geduld op, en hij had geen enkele hoop meer voor datgene waar hij zich vroeger zo aan had vastgeklampt. De zogenaamde Wetenschap, die kon hem nu gestolen worden. Een nieuwe gedachte kon hem niet langer dan een week bekoren, dan herinnerde hij zich de domkoppen weer en vergat alles. Trouwens, had hij zo langzamerhand niet genoeg voor hen uitgedacht? Waren zij het wel waard om zich zo het hoofd over te breken? En zich zo op te winden? Omdat hij nog maar net had geleerd een onderscheid te maken tussen hen en zichzelf, had hij waarschijnlijk nog niet de kracht en de wil in zich om tot in details deze nieuwe wetenschap te doordenken. Maar in ieder geval was hij wel begonnen te geloven dat hij anders was dan zij.

Het eerste nieuwe sprankje opwinding ontsproot aan regelrechte verveling. Daar hij zijn hoofd niet langer dan een fractie van een seconde bij een onderwerp kon houden, bracht hij in die dagen ten slotte zijn tijd door met in huis van de ene kamer naar de andere en van de ene verdieping naar de andere te lopen en doelloos uit het raam te staren, als een dom, verwend kind dat zichzelf niet kan bezig houden. Wanneer hij op die eindeloze en zenuwslopende rondes, die het houten huis deden kreunen en kraken, bij mij langskwam, wist ik dat hij wat afleiding van mij verwachtte, een grapje, een idee, een woord van hoop. Maar ondanks mijn beduchtheid voor hem kon ik de woorden waar hij op wachtte niet over mijn lippen krijgen, daar de woede en haat die ik jegens hem voelde nog altijd niets aan kracht hadden ingeboet. En zelfs als hij om toch íets van een antwoord van me los te krijgen, als het ware voor me door de knieën ging en onderdanig een paar zinnen tegen me sprak, zelfs dan nog kon ik het niet opbrengen dat ene te zeggen dat hij wilde horen; wanneer hij me bijvoorbeeld een nieuwtje uit het Paleis vertelde dat gunstig uit te leggen viel, of het had over een nieuw idee, waar hij als hij doorzette en het verder zou uitwerken, beslist resultaat mee zou kunnen boeken, deed ik steevast net of ik hem niet gehoord had, of zette resoluut een domper op zijn enthousiasme door de meest banale kant van wat hij had verteld te benadrukken. Ik genoot ervan om zijn wanhopige gespartel in het niets te aanschouwen.

Maar zoals ik al zei, in de loop van de tijd kwam hij juist in dit vacuüm op een nieuw idee dat hem wél zou boeien; misschien was de oorzaak hiervan gelegen in het feit dat hij hiervoor helemaal bij zichzelf kon blijven, misschien kwam het ook doordat zijn geest, die niet meer in staat was bij welk detail dan ook stil te blijven staan, ten slotte ook aan zijn eigen ongeduld ten offer was gevallen. Die keer antwoordde ik hem wél, omdat ik hem wilde aanmoedigen, en omdat de vraag die in hem was opgekomen ook mijn belangstelling had gewekt; misschien, zo dacht ik, zal hij míj nu ook opmerken. Toen op een avond zijn voetstappen het huis weer deden kraken, totdat ze in mijn kamer stopten, en de Hodja, alsof het de gewoonste zaak van de wereld was, tegen mij zei: 'Waarom ben ik ík?', gaf ik hem antwoord om hem aan te moedigen.

Nadat ik had gezegd dat ik niet wist waarom hij was, die hij was, voegde ik er meteen aan toe, dat dáár, onder díe mensen die vraag heel vaak, ja met de dag vaker, werd gesteld. Maar terwijl ik dat zei, had ik geen enkel voorbeeld, geen enkele gedachte, helemaal niets in mijn hoofd om die uitspraak te ondersteunen, en ik had waarschijnlijk alleen maar de vraag naar zijn zin willen beantwoorden omdat mijn intuïtie me vertelde dat hij van het spelletje zou genieten. Hij was verrast. Hij keek me nieuwsgierig aan en wilde dat ik verder ging; toen ik verder stil bleef, kon hij zijn geduld niet bewaren en vroeg me nog eens te herhalen wat ik had gezegd: dus zíj stelden zich die vraag ook? Toen hij zag dat ik glimlachte en me om hem vermaakte, viel hij woedend uit: of zij zich die vraag nu wel of niet stelden, híj had het zich afgevraagd zonder te weten dat zij zich hetzelfde afvroegen, en het kon hem trouwens ook geen barst schelen wat zij zich afvroegen. Toen zei hij met een vreemde uitdrukking op zijn gezicht: 'Het is alsof een stem in mijn oren steeds hetzelfde liedje voor me zingt.' Door die zanger daar diep in zijn oor moest hij aan zijn overleden vader denken, die namelijk voor zijn dood net zo'n zanger had gehad, alleen waren zijn liedjes heel anders geweest. 'De mijne zingt de hele tijd hetzelfde refrein,' zei hij, en snel, alsof hij zich een beetje schaamde, zong hij: 'Ik ben ik, ik ben ik, ah!'

Het scheelde niet veel of ik was in lachen uitgebarsten, maar ik hield mezelf in. Als het echt alleen maar een leuke grap was, dan had hij nu al lang zelf moeten lachen en hij lachte helemaal niet, al begreep hij duidelijk wel, dat hij met zijn verhaal op het randje van het belachelijke had gebalanceerd. Het was nu aan mij hem te laten merken dat ik zowel het komische van het geheel alsook datgene waar het refrein in feite om ging doorzag, want ik wilde dat hij dit keer dóór zou gaan. Ik zei hem dat het versje serieus genomen moest worden, degene die daar zo diep in zijn oor dat liedje zong, was natuurlijk niemand anders dan hijzelf. Hij zal wel iets van spotlust in mijn woorden hebben geproefd, want hij riep boos dat hij dat zelf ook wel wist; maar wat hém bezig hield, was waarom die stem die woorden steeds maar blééf zingen!

Waarom? Omdat hij zich zo hartgrondig verveelde, daarom! Dat zei ik niet natuurlijk, maar eerlijk gezegd dacht ik het wel; ik kende dat wel van mijzelf, overigens niet alleen van mijzelf, maar ook van mijn broers, de verveling die bij verwende kinderen vaak voorkomt, kan enorm produktief maar tegelijk ook verantwoordelijk zijn voor grote nonsens. Ik zei dat hij niet moest nadenken over het waarom van het versje, maar over de betekenis ervan. Op dat moment kwam bij me op dat hij misschien wel gek aan het worden was in dit vacuüm, en door toe te kijken en te volgen wat er met hem gebeurde, zou ik verlost worden van de ergernis van wanhoop en lafheid. Wellicht zou ik nu werkelijk bewondering voor hem krijgen; en als hij hierop doorging, zou er misschien eindelijk echt iets in ons beider leven gaan gebeuren. 'Wel, wat moet ik dan doen?' zei hij ten slotte hulpeloos. Ik zei dat hij moest nadenken over waarom hij de ik was, die hij was; en dat ik dit niet zei om hem ook maar op enigerlei wijze voor te schrijven wat hij moest doen, want ik zou hem bij dit onderwerp toch niet kunnen helpen, dit werk was geheel aan hem, vandaar. 'Nou dan, wat moet ik dan dóen, moet ik soms in de spiegel gaan kijken?' zei hij met ironie in zijn stem. Maar hij leek niet erg gerust. Ik bleef stil om hem de kans te geven na te denken. En hij herhaalde: 'Moet ik in de spiegel gaan kijken dan?' Plotseling werd ik kwaad en ik bedacht dat de Hodja op eigen kracht nooit ergens zou komen. Ik wilde dat hij dat zelf ook zou inzien, en had veel zin hem recht in het gezicht te zeggen dat hij zonder mij helemaal niets zou kunnen bedenken, maar ik had er de moed niet toe; en met een uitdrukkingsloos gezicht zei ik hem dat hij inderdaad in de spiegel moest gaan kijken. Nee, het was niet de moed, maar de kracht die me ontbrak. Hij liep woedend de kamer uit en riep terwijl hij de deur achter zich dicht smeet: 'Ik ben toch niet achterlijk!'

Toen ik het onderwerp drie dagen later opnieuw aanroerde en merkte dat hij het gesprek weer op 'hen' wilde brengen, wilde ik het spel verder spelen; het feit alleen al dat hij met deze zaak bezig wilde blijven, was in die tijd hoe dan ook hoopgevend. Ik zei dus dat zíj in de spiegel keken, en ook, dat zij veel vaker in de spiegel keken dan de mensen hier doen. En niet alleen de paleizen van koningen, prinsessen en edelmannen hingen daar vol keurig ingelijste en met zorg opgehangen spiegels, maar ook de huizen van de gewone mensen; maar dat was niet het enige waardoor zij in deze kwestie al zo veel verder waren gekomen, maar ook omdat zij voortdurend en zonder ophouden over zichzelf nadachten. 'Welke kwestie?' vroeg hij met een nieuwsgierigheid en naïviteit die mij verbaasde. Ik had gedacht dat hij woord voor woord zou geloven wat ik had gezegd, maar toen lachte hij: 'Dus dat wil zeggen, dat zij van de vroege ochtend tot de late avond in spiegels zitten te kijken!' Dit was de eerste keer dat hij de spot dreef met wat ik in mijn vaderland achter had moeten laten. Razend zocht ik naar woorden die hem recht in zijn hart zouden treffen, en zonder na te denken of er zelf geloof aan te hechten, zei ik: over wat men was, kon een mens alleen maar zélf nadenken, maar het ontbrak hem gewoon aan moed om dit karwei te klaren. Het deed me goed om, precies zoals ik had gewild, zijn gezicht van pijn te zien vertrekken.

Maar dit korte genoegen kwam me duur te staan. Niet dat hij me nu dreigde te vergiftigen of te vermoorden, maar diezelfde moed, waarvan ik had gezegd dat híj niet in staat was die te tonen, verlangde hij een paar dagen later van mij. Eerst probeerde ik er alsnog een grap van te maken, dat gedoe van in spiegels te kijken en ook dat een mens zelf kon bedenken wat hij was, was gewoon een grap geweest; ik had dat allemaal alleen maar uit kwaadheid gezegd, met het doel hem te tergen. Maar zo te zien geloofde hij geen woord van wat ik zei en hij dreigde dat als ik mijn moed niet bewees, hij mijn voedsel zou verminderen, of nog erger, me in mijn kamer zou opsluiten. Ik moest maar eens goed nadenken over wie en wat ik was en alles op een vel papier opschrijven. Hij kon dan mooi zien hoe moedig ik was en tegelijk ook hoe dit alles in zijn werk ging.

5

Om te beginnen schreef ik een paar bladzijden over de heerlijke dagen die ik vroeger met mijn broers en zusjes en mijn moeder en grootmoeder had doorgebracht op ons landgoed te Empoli. Ik wist eerlijk gezegd niet waarom ik nu juist dát uitkoos teneinde te kunnen doorgronden waarom ik ben die ik ben; misschien kwam het door mijn heimwee naar die voorgoed voorbije mooie dagen van weleer, bovendien had de Hodja, na mijn nodeloze, louter uit woede gezegde woorden zo'n druk op me uitgeoefend, dat ik wel gedwongen was om, precies zoals ik nu ook weer doe, aan het fantaseren te slaan en te proberen mijn herinneringen voor de lezer geloofwaardiger te maken door er allerlei aardige details aan toe te voegen. Maar de Hodja vond er eerst niets aan, aan wat ik schreef; het waren volgens hem dingen die iedereen wel kon bedenken en schrijven en hij dacht toch echt niet dat dát het nu was wat er met in de spiegel kijken en nadenken bedoeld werd. Dit kon toch niet de bewuste moed zijn, waar het de Hodja, naar ik beweerde, aan ontbrak. Hij reageerde hetzelfde toen hij las hoe ik op een keer, op jacht met mijn vader en mijn broers, plotseling oog in oog had gestaan met een alpenbeer, en hoe de beer en ik elkaar eindeloos lang roerloos hadden aangestaard; en ook toen hij las wat er door me heen was gegaan toen onze geliefde koetsier voor onze ogen door zijn eigen paarden werd overreden en aan zijn verwondingen overleed: dat soort dingen kon iedereen schrijven.

Daarop zei ik dat wat iedereen dáár deed, niet verder reikte dan dit; wat ik eerst had gezegd, was sterk overdreven geweest en uit woede gezegd; meer dan dit moest de Hodja niet van mij verwachten. Maar hij luisterde niet naar me en omdat ik bang was in m'n kamer opgesloten te worden, ging ik door met het neerschrijven van mijn droombeelden. Op die manier heb ik in twee maanden tijd met een mengeling van pijn en plezier een hoop van dit soort herinneringen opgehaald en gereconstrueerd, kleine dingen, maar heerlijk om aan te denken; alles wat ik tot aan mijn gevangenname had meegemaakt, de goede én de slechte dingen, haalde ik me voor de geest en beleefde ik opnieuw: en op het laatst merkte ik dat ik de smaak werkelijk te pakken had. De Hodja hoefde me nu niet meer te dwingen om te schrijven; en iedere keer dat hij zei dat wat ik schreef niet was wat hij bedoelde, schakelde ik probleemloos over op een ander verhaal, een andere herinnering, waarvan ik toch al van plan was geweest er een keer over te schrijven.

Toen ik, na een hele tijd, merkte dat de Hodja ook plezier kreeg in het lezen van mijn verhalen, begon ik naar een geschikt moment uit te zien om hem over de streep te trekken. Om hem op te warmen, schreef ik over enkele ervaringen uit mijn jeugd: ik vertelde over mijn angst tijdens een slapeloze nacht waar maar geen einde aan kwam; over de sterke verbondenheid die ik had gehad met een jeugdvriend, zó sterk dat wij op den duur op hetzelfde moment dezelfde dingen dachten; en over mijn angst, later, dat mijn vriend dood zou gaan en ik samen met hem levend begraven zou worden, omdat men automatisch zou aannemen, dat ik óók dood was. Ik wist dat de Hodja van dit soort verhalen zou genieten! Niet lang daarna had ik de moed hem een droom te vertellen: in die droom had mijn lichaam zich van mij afgescheiden en een verbond gesloten met mijn evenbeeld, wiens gezicht ik in het donker niet had kunnen onderscheiden, en die twee waren toen tegen mij gaan samenspannen. De Hodja zei in die dagen geregeld dat hij opnieuw en nu nog sterker dat belachelijke refrein hoorde. Toen ik zag dat mijn droom de gewenste indruk op hem had gemaakt, zei ik met nadruk dat het dit soort dingen was die hij ook zou moeten proberen op te schrijven. Dan zou hij én verlost worden van dat eindeloze wachten, én hij zou de ware grenslijn kunnen vinden, die hem en zijn domkoppen van elkaar scheidde. Intussen werd hij wel zo nu en dan naar het Paleis geroepen, maar er was nog geen enkele hoopgevende ontwikkeling te bespeuren.

Eerst sputterde hij wat tegen, maar toen ik bleef aandringen zei hij gespannen en benepen, dat hij het maar eens ging proberen. Omdat hij bang was belachelijk gevonden te worden, maakte hij er een grapje over: als we nu toch samen gingen schrijven, zouden we dan niet ook maar meteen samen in de spiegel kijken?

Tot hij dat zei: 'samen schrijven', was het niet bij me opgekomen dat hij met mij aan dezelfde tafel zou willen zitten. Ik had gedacht dat als híj begon te schrijven, ík opnieuw tot de doelloze vrijheid van luie slaaf zou terugkeren, maar dat had ik dus mis. Hij zei dat wij ieder aan een eind van de tafel tegenover elkaar moesten gaan zitten schrijven: onze geest, geneigd als hij is tot luiheid in confrontatie met dergelijke gevaarlijke onderwerpen, kon zó immers op gang gehouden worden, en op die manier konden we elkaar de nodige stimulans tot werklust en discipline geven. Maar dat was een smoesje, dat wist ik: hij was gewoon bang om alleen te blijven, bang om onder het nadenken op zichzelf teruggeworpen te zijn. Dat had ik al begrepen, nog voordat hij, oog in oog met het lege papier, in zichzelf, maar wel hoorbaar voor mij, begon te mompelen; voor wat hij zou schrijven, wilde hij per se mijn goedkeuring. Nadat hij een paar regels uit zijn pen had gewrongen, liet hij me gespannen en zonder enige trots, met de nederigheid van een kind, zien wat hij had geschreven: waren die dingen het nu wel waard om opgeschreven te worden? Wat ik, zoals te verwachten viel, beaamde.

Zo kwam ik in twee maanden tijd meer te weten over zijn leven, dan me tot dan toe in al die elf jaar bij elkaar was gelukt. Zijn familie had in Edirne gewoond, waar we later nog samen met de Padisjah zijn geweest. Zijn vader was heel vroeg gestorven, hij herinnerde zich zijn gezicht niet of nauwelijks meer. Zijn moeder was een altijd bezige vrouw geweest. Ze was later hertrouwd. Van haar eerste echtgenoot had ze twee kinderen, een dochter en een zoon. Bij haar tweede echtgenoot had ze nog eens vier zonen gekregen. Deze man was dekbeddenmaker. Van de kinderen thuis was de meest leergierige, natuurlijk, hoe kan het ook anders, de Hodja geweest. Ik begreep verder dat hij ook de slimste, de knapste, de ijverigste en de sterkste van het hele stel was geweest; en ook degene van wie je het meeste op aan kon. Hij dacht met haat aan de andere kinderen, met uitzondering van zijn zus, maar hij was er niet zo zeker van of hij dit soort dingen nu eigenlijk allemaal wel wilde opschrijven. Ik moedigde hem echter steeds weer aan, misschien omdat ik toen al aanvoelde dat ik mezelf later zijn stijl en levensverhaal zou toeëigenen. Er was iets in zijn taal en zijn houding, waar ik van hield en wat ik mij ook eigen wilde maken. Een mens moet zoveel houden van het leven dat hij zich kiest dat hij er naderhand ook tevreden mee kan zijn; welnu, ik houd er van! Natuurlijk vond hij al zijn broers dommeriken, en hij zag ze alleen als ze geld nodig hadden; hij daarentegen had zich geheel aan de studie gewijd. Hij was aangenomen op de theologische hogeschool, de Selimiye Medrese, maar op de valreep, toen hij bijna klaar was met zijn studie, was hij het slachtoffer van een smerige lastercampagne geworden. Op deze kwestie kwam hij nooit meer terug, ook over vrouwen had hij het nooit. Helemaal aan het begin van zijn notities schreef hij dat hij een keer op het punt had gestaan om te trouwen, maar even later verscheurde hij woedend alles wat hij tot dan toe had geschreven. Die nacht regende het dat het goot. Het was de eerste van vele afschuwelijke nachten die zouden volgen. Hij voegde me allerlei beledigingen toe, riep dat alles wat hij had opgeschreven gelogen was, en begon weer helemaal opnieuw; en hij eiste ook weer dat ik tegenover hem kwam zitten schrijven, waardoor ik het twee dagen achter elkaar zonder slaap moest doen. Overigens keurde hij wat *ík* schreef geen blik meer waardig; ik zat daar maar te zitten aan het andere eind van de tafel en schreef zonder nog een noemenswaardig beroep te doen op mijn verbeeldingskracht gewoon weer precies dezelfde dingen op, terwijl ik hem vanuit mijn ooghoek nauwlettend gadesloeg.

Een paar dagen later begon hij er iedere ochtend mee boven aan het dure, gezuiverde papier, dat hij uit het oosten had laten komen, 'Waarom ik ik ben' te schrijven, maar vervolgens wist hij niets beters te verzinnen dan steeds maar weer dezelfde verhalen over de inferioriteit en domheid van anderen. Wel kwam ik nog aan de weet dat hij na de dood van zijn moeder niet had gekregen wat hem toekwam en dat hij met het geld dat hij uiteindelijk toch nog had weten te bemachtigen naar Istanbul was gegaan. Ook kwam ik er nu achter dat hij een tijd lang een trouwe bezoeker was geweest van een derwisjenklooster, maar dat hij ze had verlaten, toen hij in de gaten kreeg dat de mensen er zonder uitzondering valse bedriegers waren. Ik wilde hem graag zover krijgen, dat hij nog wat meer vertelde over dat kloosteravontuur; het feit dat de Hodja zich aan hen had weten te ontworstelen vond ik zijn eerste echte succesverhaal; een wapenfeit waarmee hij zich pas echt van de rest van de mensheid onderscheidde. Toen ik dat tegen hem zei, werd hij kwaad en zei hij dat ik alleen maar alles wilde weten om op een dag de aanstootgevende details tegen hem te kunnen gebruiken. Trouwens, wat ik tot nu toe over hem aan de weet was gekomen was al te veel, en het kwam hem bovendien verdacht voor dat ik zo'n belangstelling had voor dit soort–en hier gebruikte hij een schuttingwoord–details. Later weidde hij lang en breed uit over zijn zus Semra, over hoe goed zij was en hoe slecht haar man; hij schreef over het verdriet dat het hem deed dat hij haar in geen jaren meer had gezien, maar weer werd hij argwanend toen ik belangstelling toonde, en schakelde hij over op een ander onderwerp. Hij vertelde hoe hij, na zijn laatste geld aan boeken te hebben uitgegeven, een tijd lang niets anders had gedaan dan lezen en studeren; hoe hij daarna links en rechts kleine schrijfklusjes had gedaan, maar dat de meeste mensen oneerlijk waren; op dit punt in zijn verhaal aangekomen, moest hij ineens denken aan Sadik Pasja, wiens overlijdensbericht wij kort tevoren hadden ontvangen. Hij kende hem nog uit die tijd, zijn wetenschappelijke belangstelling was de Pasja meteen opgevallen en het was ook de Pasja geweest die werk als hodja op de jongensschool voor hem had gevonden, maar in wezen was hij natuurlijk de domkop bij uitstek. Aan het einde van deze schrijfperiode, die een maand duurde, werd hij op een nacht overweldigd door spijt en verscheurde alles wat hij had geschreven. Daarom ben ik nu ook absoluut niet bang dat ik me in mijn verhaal zal laten meeslepen door bepaalde details die me bijzonder aanspreken, want bij het reconstrueren van mijn eigen verleden en van die verhalen van hem moet ik me geheel en al verlaten op mijn verbeeldingskracht. In een laatste opleving schreef hij onder de titel 'Domkoppen die ik van dichtbij kende' nog het een en ander over hoe deze geclassificeerd konden worden, maar viel toen woedend uit: al dat geschrijf had voor hem helemaal nergens toe geleid, hij had niets nieuws geleerd, hij wist ook nu nog steeds niet waarom hij 'ik' was. Ik had hem bedrogen, ik had hem volkomen zinloos gedwongen stil te staan bij allerlei dingen die hij zich helemaal niet wenste te herinneren. Maar het zou niet ongestraft blijven.

Ik weet niet waarom dat woord 'straf', dat me herinnerde aan de eerste dagen met hem, zich in die dagen weer in zijn hoofd had vastgebeten. Soms dacht ik dat ik hem zelf aanmoedigde, omdat ik als een geslagen hond voor hem blééf kruipen. Toch besloot ik, de eerste keer dat hij het weer over straf had, dat ik me nu zou verzetten. De Hodja die schoon genoeg had van het ophalen van herinneringen, dwaalde weer een tijd lang van boven naar beneden, en van beneden naar boven door het huis. Daarna kwam hij opnieuw naar me toe en zei dat we de oergedachte moesten opschrijven: zoals een mens zijn verschijning aanschouwt wanneer hij in de spiegel kijkt, zo moet het ook mogelijk zijn dat hij wanneer hij in zijn eigen gedachten kijkt zijn wezen kan aanschouwen.

Deze vergelijking sprak ook mij aan. Direct gingen we ieder aan een andere kant van de tafel zitten. Dit keer schreef ook ik boven aan de bladzijde: 'Waarom ik ik ben', zij het dan half voor de grap. Meteen begon ik een jeugdherinnering op te schrijven die over mijn verlegenheid ging, aangezien ik dat op dat moment mijn meest wezenlijke persoonlijkheidskenmerk vond. Toen ik even later las wat de Hodja had geschreven – weer niets anders dan geweeklaag over de slechtheid van anderen – kreeg ik een idee dat mij niet van belang ontbloot leek en dus zei ik tegen hem: de Hodja moest ook over zijn eigen óndeugden schrijven. Toen zei hij, omdat hij had gelezen wat ik had geschreven, dat hij heus niet laf was.

Daar bracht ik tegenin dat hij inderdaad niet laf was, maar zoals in ieder mens moesten er in hem toch ook negatieve dingen zijn en als hij die onder woorden zou kunnen brengen, dan zou hij werkelijk zichzelf vinden. Ik had het ook zo gedaan, en hij wilde immers net zo worden als ik; ik zag dat hij kwaad werd toen ik zei dat ik dat had gemerkt, maar hij hield zich in en terwijl hij zich uit alle macht probeerde te beheersen, zei hij: het waren de anderen die slecht waren, niet iedereen natuurlijk, maar aan de meesten mankeerde wel iets of zat iets fout en daarom liep alles zo mis. Nu ging ik echt tegen hem in en zei dat hij ook slechte, heel slechte kanten had, en dat hij dat van zichzelf toch moest weten. De Hodja was zelfs nog slechter dan ik, voegde ik er arrogant aan toe.

Zo begonnen die lachwekkende maar niet minder schrikwekkende dagen van het kwaad! Nadat hij me aan tafel had laten plaatsnemen en me aan mijn stoel had vastgebonden, kwam hij tegenover me zitten en beval me te schrijven wat híj wilde, maar wat dat was wist hij eigenlijk zelf niet. Zijn gedachten reikten niet verder dan die ene vergelijking: net zoals men in de spiegel zijn buitenkant ziet, zo moest een mens door na te denken de binnenkant van zijn hersenen kunnen observeren. Volgens hem wist ík hoe je dat moest doen, maar hield ik het geheim ervan voor hem verborgen. Terwijl de Hodja tegenover mij zat te wachten tot ik dat geheim opschreef, vulde ik vellen vol met opgeklopte verhalen over mijn eigen verdorvenheid. Ik schreef met veel plezier over de kleine diefstalletjes en leugentjes om bestwil uit mijn kinderjaren, over de slimme trucjes die ik had uitgehaald teneinde mezelf thuis meer geliefd te maken dan de andere kinderen, over mijn seksuele jeugdzonden en overdreef schromelijk. Nadat de Hodja dit allemaal nieuwsgierig en met een mengeling van gretigheid en vrees had gelezen, die me verbaasde, deed hij nog kwader tegen mij en voerde hij mijn afstraffingen buiten proportie op. Misschien verzette hij zich wel zo, omdat hij de verdorvenheid van dat verleden, waarvan hij voelde dat het ooit van hem zou zijn, niet kon verdragen. Hij was nu begonnen met gewoon erop los te slaan. Steeds als hij weer een zonde van mij had gelezen zei hij 'schoft ik zal je' en gaf hij me half schertsend, half woedend, een stomp in mijn rug; ook gebeurde het dat hij zich niet kon inhouden, en me flink om m'n oren sloeg. Misschien deed hij deze dingen ook wel uit pure verveling, omdat hij steeds minder op het Paleis werd ontboden en hij zichzelf ten slotte had overtuigd dat hij niets anders meer over had om zich mee bezig te houden, dan mij en zichzelf. Maar terwijl hij over mijn verdorvenheden las en zijn kleine kinderachtige straffen oplegde beving mij een vreemd vertrouwen: voor de eerste maal had ik het gevoel dat ik hem in de palm van mijn hand had.

Op een keer zag ik dat hij medelijden met me kreeg, nadat hij me flink had afgetuigd. Omdat het was vermengd met de walging die een mens voelt voor iemand die hij nooit, maar dan ook nooit als gelijke van zichzelf heeft gezien, was het een akelige gewaarwording; maar een die klopte met de werkelijkheid, zò bleek wel uit het feit dat het geen echte haat was waarmee hij naar mij keek. 'Laten we maar niets meer schrijven,' zei hij. 'Of, ik wil niet dat jij nog schrijft,' corrigeerde hij zichzelf daarna terecht, want al wekenlang was ík degene die mijn ondeugden opschreef, terwijl hij slechts toekeek. Hij zei dat we maar eens op reis moesten gaan, naar Gebze bijvoorbeeld. We moesten in ieder geval weg hier uit het huis waar langzamerhand steeds meer een begrafenisstemming was gaan heersen. Hij kon zijn astronomische werkzaamheden weer oppakken en hij dacht er ernstig over een meer serieuze verhandeling te gaan schrijven over het leven der mieren. Ik schrok toen ik zag dat hij op het punt stond ook het kleine beetje respect dat hij voor mij had gehad te verliezen en ik verzon om zijn belangstelling weer te wekken nog één verhaal, waarin ik mijzelf wel heel erg naar beneden haalde. De Hodja las gretig en met enige wellust wat ik had geschreven, maar kwaad maakte het hem niet meer; ik voelde dat hij zich nu alleen nog maar nieuwsgierig afvroeg, hoe ik zonder blikken of blozen kon toegeven dat ik zo'n slecht mens was. Misschien had hij er in die dagen ook wel vrede mee tot het einde toe te blijven die hij was. En hij wist bovendien heel goed dat het allemaal voor een groot deel alleen maar een spel was. Die dag praatte ik met hem als een hofnar, die weet dat hij niet voor vol wordt aangezien; ik probeerde zijn gaandeweg weer groeiende belangstelling aan te wakkeren: wat had hij nou eigenlijk te verliezen, als hij, alvorens naar Gebze te gaan, voor een laatste keer ook zelf iets schreef over zijn eigen verdorvenheden, al was het maar om te kunnen begrijpen hoe ik zo iemand had kunnen worden! Bovendien was er geen enkele noodzaak dat wat hij opschreef ook echt waar was of dat wie dan ook er geloof aan zou hechten. Als hij het deed, dan zou hij begrijpen wat voor wezens ik en mijn soortgenoten waren en die kennis kon hem op een goede dag vast nog eens van pas komen! Ten slotte kon hij aan zijn eigen nieuwsgierigheid en mijn gebazel geen weerstand meer bieden, en zei hij dat hij het de volgende dag ging proberen. Natuurlijk, zo vergat hij niet eraan toe te voegen, deed hij dat niet omdat hij zich had laten overhalen mee te doen met mijn domme spelletjes, maar omdat hij het zelf zo wilde.

De volgende dag werd de leukste dag uit mijn hele slavenbestaan. Hij had mij niet meer aan mijn stoel vastgebonden, maar toch bracht ik de hele dag tegenover hem aan tafel door en zag zijn geleidelijke transformatie in een ander mens werkelijkheid worden. Hij was eerst dermate doordrongen van het belang van wat hij ging doen, dat hij het zelfs te veel moeite vond om dat belachelijke zinnetje 'Waarom ik ik ben' nog boven aan de bladzijde te schrijven. Later nam hij de zelfverzekerde houding aan van een koddig klein kind dat probeert iemand voor de gek te houden en ik zag uit mij ooghoek dat hij zijn eigen veilige wereldje nog niet achter zich had gelaten. Maar dat loze zelfvertrouwen duurde niet lang; en ook het zogenaamde schuldbesef, dat hij zich met het oog op mijn aanwezigheid had aangemeten, was van korte duur. Kort daarop veranderde de opgelegde spot in leed, en het spel in werkelijkheid; te doen alsof hij zichzelf beschuldigde, beangstigde de Hodja tot op het ongelooflijke af. Wat hij schreef, kraste hij meteen weer door, zonder het mij te laten zien! Maar de nieuwsgierigheid had hem kennelijk toch te pakken gekregen, en bovendien schaamde hij zich denk ik voor mij, dus ging hij door. Als hij echter gedaan had wat het eerste in hem opkwam en meteen van tafel was opgestaan, dan was hij er misschien wel zonder kleerscheuren vanaf gekomen.

In de daaropvolgende uren zag ik hem geleidelijk aan desintegreren. Hij schreef de een of andere zelfbeschuldiging op, verscheurde die dan weer zonder aan mij te laten zien, en hoewel hij iedere keer iets meer van zijn zelfvertrouwen en zelfrespect verloor, begon hij toch steeds weer opnieuw, misschien ook in de hoop datgene, dat hij verloren had, terug te vinden. Hij gaf me zijn woord, hij zóu me de bekentenissen van zijn zonden laten lezen! Maar toen het donker was, had ik nog steeds geen woord gezien van wat ik zo graag had gelezen; alles was weer verscheurd en weggegooid en de Hodja zelf was aan het einde van zijn krachten. Hij schreeuwde me toe dat dit zeker weer zo'n walgelijk heidens spelletje van me was, maar zijn zelfvertrouwen was zo duidelijk geslonken, dat ik er schaamteloos nog een schepje bovenop gooide: ik zei dat hij zich niet zo beroerd hoefde te voelen, hij zou er wel aan wennen een slecht mens te zijn. Daarop ging hij het huis uit, misschien kon hij mijn blikken op dat moment ook niet meer verdragen, en kwam pas laat in de nacht terug; uit de geur die om hem heen hing, maakte ik op dat hij, zoals ik al had vermoed, naar een zeker huis was geweest om er met die ordinaire vrouwen te slapen.

De volgende dag na het middaguur zei ik, puur uit provocatie, tegen hem dat hij dóór moest gaan, hij was zo sterk, dergelijke onschuldige spelletjes konden hem toch niet deren. En we deden dit toch ook weer niet helemaal zonder reden, alleen om de tijd door te komen, maar wel degelijk ook om ergens achter te komen. Aan het einde van deze weg lag immers het verlokkende antwoord op de vraag waarom die mensen die hij dom noemde, zo waren als zij waren. En dat wij elkaar op deze manier tot in de finesses leerden kennen, was dat op zichzelf al niet aantrekkelijk genoeg? Ik bracht naar voren dat een mens wanneer hij iemand tot in de kleinste details kent, onherroepelijk in de ban van die persoon raakt, zoals men ook een angstdroom niet van zich af kan zetten en er onwillekeurig van houdt.

Hij zette zich opnieuw aan tafel, niet zozeer vanwege mijn woorden, die hij niet serieuzer nam dan de praat van een hofnar, maar gesterkt door het vertrouwen dat het daglicht hem gaf. 's Avonds echter, toen hij eindelijk weer van de tafel opstond, was zijn zelfvertrouwen nog minder dan de dag ervoor. En toen ik hem 's nachts weer naar die vrouwen zag gaan, had ik met hem te doen.

Zo ging hij iedere morgen aan tafel zitten teneinde al zijn wandaden op schrift vast te leggen, in de overtuiging dat hij er als een beter mens uit te voorschijn zou komen, en in de hoop dat hij weer terug zou winnen wat hij de vorige dag verloren had, en iedere avond stond hij op, en liet iedere keer iets meer van wat hem nog van zichzelf restte op tafel achter. Omdat hij zichzelf nu verachtte, kon hij dat míj niet meer doen; ik bedacht dat ik het gevoel van gelijkheid, waarvan ik de aanwezigheid in mijn eerste dagen bij hem ten onrechte had verondersteld, ten slotte dan toch had gevonden, en ik was zeer tevreden. Hij had gezegd dat ik niet meer aan tafel hoefde te komen zitten, omdat hij onrustig van mij werd; dat was een goed teken, maar mijn zoveel jaren lang opgekropte woede liet zich niet langer in toom houden. Ik wilde me wreken, in de aanval gaan; net als bij hem sloeg ook bij mij de weegschaal nu volkomen door: het kwam me voor dat als ik de Hodja nog íets meer aan zichzelf kon laten twijfelen, als ik erin zou slagen enkele van die bekentenissen die hij zo zorgvuldig voor mij verborgen hield te lezen en hem daarmee vervolgens naar beneden te halen, niet langer ík de slaaf zou zijn, maar híj, niet ík de slechterik van het huis, maar híj. En alles wees erop dat mijn vermoedens juist waren: ik kon voelen hoe hij zocht naar zekerheid, of ik hem nu voor de gek hield of niet; hij was ermee begonnen, zoals alle zwakkelingen die niet op eigen kompas durven varen, met mijn goedkeuring te vragen voor van alles en nog wat, hij vroeg me zelfs mijn mening over kleine alledaagse dingen: zat zijn kleding wel goed, was het antwoord dat hij aan iemand had gegeven wel goed, vond ik zijn handschrift mooi, en wat dacht ik hiervan en daarvan? Om te voorkomen dat hij door wanhoop bevangen voortijdig met het spel zou ophouden, vernederde ik mezelf soms op een verschrikkelijke manier voor hem, zodat híj weer wat opgelucht kon zijn. Hij keek dan wel naar me met een blik van: 'Ik zal je, ik zal je', maar kon me nog geen stomp verkopen, en ik was er zeker van dat hij in zijn binnenste vond dat hij er eerder zelf een verdiende.

Intussen was ik erg nieuwsgierig geworden naar wat het toch voor bekentenissen waren, die hem tot zo'n zelfverachting brachten. Ik was er inmiddels zo aan gewend om hem naar beneden te halen dat ik me niet voor kon stellen dat het hier om iets anders dan wat simpele dagelijkse zonden zou gaan. Nu ik, teneinde mijn verleden geloofwaardig te maken, mezelf voor de taak heb gesteld een of twee van die bekentenissen, waarvan ik zelfs niet één onder ogen heb gekregen, met alle details erbij te reconstrueren, kan ik op de een of andere manier maar geen zondetje vinden dat bij de Hodja past en dat niet tegelijk ook het evenwicht van mijn verhaal en mijn gefantaseerde leven bederft. Maar ik kan me er wel een voorstelling van maken hoe iemand die in een soortgelijke situatie verkeert als ik toen, opnieuw vertrouwen in zichzelf krijgt: ik moet tegen de Hodja iets gezegd hebben als dat ik hem, zonder hem dat te laten merken, een ontdekking had laten doen; dat ik dingen aan het licht had gebracht van hem en zijn soortgenoten, die, hoewel misschien niet direct overduidelijk in het oog springend, toch zeker wel zwakke punten van ze waren! In ieder geval moet ik gedacht hebben dat de dag niet ver meer was dat ik niet alleen hem, maar ook de anderen in hun ziel zou kunnen treffen; ik zou bewijzen hoe slecht ze waren en hen tot de grond toe afbreken. Ik neem aan dat de lezers van mijn verhaal zo langzamerhand wel begrijpen, dat ik minstens zoveel van de Hodja moet hebben geleerd als hij van mij! Maar misschien denk ik dat nú omdat een mens met het ouder worden nu eenmaal meer de symmetrie zoekt, zelfs in verhalen. De spanning moet me wel buiten zinnen hebben gebracht na al die jaren van opgekropte wrok. Ik zou de Hodja, na hem eerst goed in het stof te hebben laten bijten, dwingen zonder meer mijn superioriteit en mijn recht op vrijheid te erkennen, en vervolgens zou ik brutaalweg mijn vrijbrief van hem eisen. Ik fantaseerde dat hij me zonder tegensputteren vrij zou laten, en was al aan het bedenken wat er allemaal moest komen te staan in de boeken die ik, eenmaal in mijn vaderland, ging schrijven over mijn avonturen en over de Turken. Ik raak zo gemakkelijk alle gevoel voor proportie kwijt! Er was maar één bericht nodig, dat hij mij op een ochtend bracht en alles werd in één klap anders.

In de stad was de pest uitgebroken! Ik kon het eerst bijna niet geloven, ook omdat hij het op een manier vertelde, alsof het niet over Istanbul, maar over een heel andere stad ergens ver weg ging; ik vroeg hem hoe hij het nieuws had gehoord en wilde alles horen wat hij ervan wist. Hij zei dat men met schrik had gezien hoe het aantal plotselinge sterfgevallen voortdurend toenam, en men had begrepen dat er wel een ernstige ziekte moest heersen. Maar, dacht ik, misschien is het de pest helemaal niet, en ik vroeg naar de verschijnselen van de ziekte. De Hodja lachte me uit: mijn nieuwsgierigheid was werkelijk verspilde moeite, als ik besmet zou raken dan zou ik al heel spoedig weten dat ik het had; om dát te begrijpen hoefde men niet langer dan drie dagen de koorts van deze ziekte mee te maken. Eerst kwamen er builen en gezwellen onder de oren, in de oksels, op de buik, en dan begonnen de hevige koortsen; bij sommigen barstten de gezwellen open, bij anderen kwam er bloed uit de longen, en er waren er die hoestend als een teringlijder stierven. Hij voegde eraan toe dat ze in alle buurten bij bosjes sneuvelden. Gespannen vroeg ik naar onze buurt. O, had ik dat dan nog niet gehoord? Die bouwmeester, die altijd met alle buurtbewoners ruzie had, omdat hun kinderen appels uit zijn tuin pikten en hun kippen over de muur zijn erf opkwamen, die was een week geleden onder hoge koortsen, kermend en krijsend doodgegaan. Voor iedereen was nu zo duidelijk als wat, dat hij aan de pest was overleden.

Toch wilde ik het nog niet geloven; buiten was alles zo normaal, de mensen die langs het raam liepen, zagen er zo kalm uit; nee, het leek wel of ik eerst iemand moest vinden met wie ik mijn paniek kon delen, voor ik wilde geloven dat de pest inderdaad was uitgebroken. De volgende morgen, toen de Hodja naar school was, vluchtte ik de straat op. Ik zocht de paar Italiaanse bekeerlingen op, die ik hier in die elf jaar had leren kennen. De een, met zijn nieuw aangenomen naam, Mustafa Reis, was er niet, hij was naar de kleermaker; de ander, Osman Efendi, liet me eerst niet binnen, al trommelde ik keihard met mijn vuisten op de deur; hij liet zijn knecht zeggen dat hij niet thuis was, maar kon het toen toch niet uithouden en riep me terug. Ik vroeg of de ziekte, de hemel bewaar ons, dan toch echt heerste. Maar had ik dan die lijkkisten niet zien ronddragen? Daarna zei hij tegen me dat ik bang was, dat was van mijn gezicht te lezen, maar dat ik bang was, kwam omdat ik nog steeds koppig vasthield aan het christendom! Hij foeterde me uit; als een mens hier gelukkig wilde zijn, dan moest hij moslim worden, maar evengoed raakte hij me met geen vinger aan en gaf me zelfs geen hand, voor hij zich weer in het klamme duister van zijn huis opsloot. Het was inmiddels de tijd voor het gebed, en toen ik de mensenmenigten op de voorhoven van de moskeeën zag, werd ik bang en keerde snel terug naar huis. Ik was ten offer gevallen aan de verbazing en verdwazing die mensen bevangt op momenten van rampspoed. Het was alsof ik mijn hele verleden was vergeten, mijn geheugen had al zijn kleur verloren en ik was als verlamd. En toen ik in de buurt een groep mensen zag met een doodkist op de schouders, raakte ik volledig over mijn toeren.

De Hodja was al terug van school, en ik merkte dat hij ervan genoot mij in zo'n toestand te zien. Ik zag dat zijn zelfvertrouwen groeide omdat hij mij laf vond, en dat maakte me kwaad. Ik wilde de arrogantie van zijn onbevreesdheid onderuit halen en terwijl ik mijn best deed mijn zenuwen de baas te blijven, stortte ik al mijn medische en literaire kennis over hem uit; ik schetste de pesttaferelen die mij waren bijgebleven van Hippocrates, Thucydides en Boccaccio, ik zei dat algemeen werd aangenomen dat de ziekte besmettelijk was, maar mijn woorden hadden geen ander effect dan dat hij met nog meer minachting op mij neerkeek. Híj was niet bang voor de pest, want ziekte is een beschikking van Allah, als een mens zijn tijd gekomen is, dan gaat hij dood; en daarom had het ook geen enkele zin om zich thuis op te sluiten en het contact met de buitenwereld te verbreken, of te proberen uit Istanbul weg te komen, of wat ik daar ook allemaal als een angsthaas stond te verzinnen. Als het geschreven staat, dan komt de dood en hij zal ons overal vinden. Waarom was ik bang? Soms vanwege al die slechtigheden van me waar ik dagenlang vellen mee vol had geschreven? Terwijl hij dat zei, glimlachte hij, zijn ogen straalden vol hoop.

Tot aan de dag dat wij elkaar kwijtraakten, heb ik nooit kunnen ontdekken of hij nu wel of niet geloofde in wat hij toen had gezegd. Even stond ik versteld van zijn onverschrokkenheid, maar later, toen ik alles nog eens rustig overdacht, de angstaanjagende spelletjes en alles waarover wij aan tafel hadden zitten praten, twijfelde ik toch wel ernstig aan de echtheid ervan. Keer op keer nu bracht hij het gesprek op de slechtigheden, die wij beiden hadden opgeschreven, en mij tot op het bot tergend, bracht hij met een duidelijke zelf-ingenomenheid steeds dezelfde wijsheid naar voren: uit het feit dat ik zo bang was voor de dood, was op te maken dat ik al die slechtigheid van mij, die ik schijnbaar zo manmoedig had opgeschreven, nog lang niet had verwerkt. De moed, die ik had vertoond bij het openlijk bekennen van mijn zonden, kwam alleen maar voort uit ordinaire onbeschaamdheid! Terwijl daarentegen de twijfelmoedigheid die hijzelf in die dagen had doorgemaakt, voortkwam uit het feit dat hij met grote omzichtigheid en haarkloverij bij het miniemste greintje kwaad had stilgestaan. Maar nu was hij dan ook opgelucht, de diepe onbevreesdheid die hij nu voelde tegenover de pest, overtuigde hem ervan, dat hij onschuldig was.

Ik walgde van deze verklaring, die ik ongelooflijk dom vond en besloot er tegenin te gaan. Ik zei hem recht in het gezicht dat het absoluut niets te maken had met onbevreesdheid of gemoedsrust, maar met het feit dat hij zich domweg niet bewust was hoe dichtbij de dood was. Ik vertelde hem dat we ons konden beschermen tegen de dood, ik zei dat de slachtoffers van de pest niet aangeraakt moesten worden, dat de doden in kalkputten moesten worden begraven, dat de omgang van de mensen met elkaar tot een minimum moest worden teruggebracht, en dat hij dus ook niet naar zijn drukke school moest gaan.

Dit laatste had ik beter niet kunnen zeggen want het bleek hem op gedachten te hebben gebracht, angstaanjagender dan de pest zelf! De volgende dag tussen de middag, strekte hij ineens zijn handen naar mij uit, terwijl hij zei dat hij de kinderen allemaal een voor een had aangeraakt; toen hij zag dat ik bang was en niet wilde dat hij me aanraakte, kwam hij vergenoegd op me af en omhelsde me; ik wilde het wel uitschreeuwen, maar net als iemand in een droom, kon ik geen geluid uitbrengen. En de Hodja, díe zei met een spotlust die ik pas veel later als zodanig heb onderkend, dat hij mij wel eens onverschrokkenheid zou leren.

6

De pest greep snel om zich heen, maar op de een of andere manier lukte het me niet om datgene te leren wat de Hodja onbevreesdheid noemde. Toch schermde ik me niet meer zo sterk af als in de eerste dagen. Mezelf opsluiten in een kamer en dagenlang door het venster naar buiten kijken als een bedlegerige vrouw, was kennelijk te veel voor mijn geduld. Af en toe schoot ik het huis uit en liep als een dronkeman door de straten, ik keek naar de vrouwen die op de markt boodschappen deden, naar de ambachtslieden die in hun winkels aan het werk waren, naar de mensen die na het begraven van hun naasten in de koffiehuizen bijeenkwamen, en probeerde op die manier aan de pest te wennen. Nog even en het zou misschien wel gelukt zijn, maar de Hodja liet me niet met rust.

's Nachts kwam hij naar me toe en strekte zijn handen, waarvan hij zei dat hij er de hele dag lang mensen mee had aangeraakt, naar mij uit. En ik wachtte af zonder een vin te verroeren. Versteend, als iemand die 's nachts wakker wordt en merkt dat er een schorpioen over hem heen scharrelt, ja exact zo! Terwijl hij zijn vingers, die overigens totaal niet op de mijne leken, koud, ijskoud over mij heen liet dwalen, vroeg hij: 'Ben je bang?' Ik gaf geen krimp. 'Je bent bang. Waarom ben je bang?' Soms kreeg ik een enorme aandrang om zijn hand weg te duwen en te vechten, maar ik wist zeker dat dat zijn razernij alleen maar zou doen toenemen. 'Ik zal eens zeggen waarom je bang bent. Je bent bang omdat je schuldig bent. Je bent bang omdat je tot over je oren in een poel van zonde zit. Je bent bang omdat jij mij nog meer gelooft dan ik jou.'

Hij was het ook die zei dat we maar weer eens aan tafel moesten gaan zitten om het een en ander te schrijven. Nú zouden we moeten beschrijven 'waarom wij ík waren'. Maar uiteindelijk schreef hij weer nergens anders over dan waarom anderen zo waren als zij waren. De eerste keer liet hij me nog vol trots zien wat hij had geschreven. Ik weet niet, ik dacht dat hij verwachtte dat ik me zou schamen door wat ik las, maar ik kon mijn walging niet verbergen en zei tegen de Hodja dat hij zich op één lijn met zijn domkoppen had geplaatst en dat hij eerder dood zou gaan dan ik.

In die dagen schenen deze woorden me mijn meest effectieve wapen toe. Daarbij herinnerde ik hem ook nog aan de tien jaar die hij onafgebroken aan zijn werk had besteed; ik had het over de jaren die hij had gestoken in de kosmografische theorie, over hoe hij urenlang de hemel had geobserveerd ten koste van zijn ogen, over de dagen dat hij met zijn neus niet uit de boeken te voorschijn was gekomen; ik ging over tot de aanval; wat zou het absurd zijn, zei ik, om voor niks en niemendal zomaar te sterven, terwijl de mogelijkheid bestond om zich te beschermen tegen de pest en dus in leven te blijven. Mijn woorden deden, behalve zijn twijfels, ook de straffen die ik kreeg, nog toenemen. Maar toch kwam het mij voor alsof hij, onder het lezen van wat ik in die tijd schreef, zijn verloren gegane respect voor mij tegen wil en dank terugvond.

Om mijn ellende te vergeten had ik in die dagen vele bladzijden volgeschreven met dromen van geluk, die ik niet alleen 's nachts droomde, maar ook vaak tijdens mijn middagdutje. Die dromen, op zichzelf al betekenisvol genoeg, schreef ik, om alle ellende te kunnen vergeten, na het ontwaken met zorg en sier op, in een poëtische stijl: tussen de bomen van het aan ons huis grenzende woud, leefden mensen die geheimen kenden waar wij al jaren achter probeerden te komen en alleen wanneer je de moed opbracht om de duisternis van het woud binnen te gaan, kon je vrienden met ze worden. En: onze schaduwen verdwenen niet als de zon onderging; terwijl wij in onze schone frisse bedden rustig lagen te slapen, lieten zij al die duizenden kleine dingen, die nog geleerd en geleefd moesten worden, één voor één door hun handen gaan, en brachten ons zo van al die dingen stuk voor stuk vanzelf op de hoogte, zonder dat wij ons ook maar enigszins moe hoefden te maken. En: het bleef er niet bij dat de mensen op de schilderijen die ik in mijn dromen maakte mooie driedimensionale mensen waren, ze kwamen ook nog uit hun lijst en mengden zich onder ons. En: mijn moeder, mijn vader en ik bouwden in onze achtertuin stalen machines, die voortaan in onze plaats al het werk deden...

De Hodja beschouwde deze dromen als duivelse valkuilen die hem het duistere rijk der onsterfelijke wetenschap in wilden trekken, maar tóch, al wist hij heel goed dat hij er iedere keer weer een stukje van zijn zelfvertrouwen door verloor, vroeg hij steeds weer aan mij: wat hadden die onzinnige dromen nu te betekenen, zag ik die nu werkelijk? En zo deed ik toen voor hem voor het eerst, wat wij jaren later samen voor de Padisjah zouden doen; ik leidde uit onze dromen conclusies af voor ons beider toekomst: had de ziekte toegeslagen? Dan was het een duidelijke zaak, want het was net als bij de pest, ook aan de Wetenschap kan men, eenmaal besmet, niet meer ontsnappen. En dat het deze ziekte was die de Hodja had aangestoken was niet moeilijk te raden, maar het maakte iemand ook des te nieuwsgieriger naar wat híj dan wel zou dromen! De Hodja luisterde met openlijke spot naar mij, maar hij kon me toch niet te hard aanvallen, met iedere vraag van zijn kant werd immers tegelijk zijn eigen trots gekrenkt; bovendien, en dat zag ik als ik aan het woord was: wat ik zei maakte hem ook nieuwsgierig. Ik zag dat er steeds meer barsten kwamen in het masker van kalme onverschilligheid dat de Hodja zich met betrekking tot de pest had aangemeten. Het maakte mijn eigen doodsangst er niet minder op, maar ik dacht toch op zijn minst gered te zijn van de eenzaamheid van de angst. Natuurlijk betaalde ik de prijs hiervoor met de nachtelijke kwellingen waar ik het al over had, maar op een gegeven moment merkte ik dat ik niet voor niets had gevochten. Wanneer de Hodja nu zijn handen naar mij uitstrekte, herinnerde ik hem aan het feit dat hij eerder dood zou gaan dan ik, ik herinnerde hem aan de onwétendheid van mensen zonder angst, aan zijn schrijfselen die hij halverwege had laten liggen, of aan mijn geluksdromen, die hij die dag had gelezen.

Uiteindelijk waren het niet deze uitlatingen, maar was het iets heel anders, dat zijn emmer deed overlopen. Op een dag kwam de vader van een van de leerlingen van zijn school naar ons huis. Zo te zien een bescheiden, brave ziel, hij woonde in onze buurt. Ik had me als de slaperige kat van het huis in een hoekje teruggetrokken en luisterde toe; eerst praatten ze lang en breed over koetjes en kalfjes, maar toen kwam onze bezoeker ter zake: zijn nicht was vorig jaar, eind zomer, weduwe geworden toen haar man bij het dakdekken van het dak was gevallen. Nu dong er wel een aantal mannen naar haar hand, maar onze gast had ineens aan de Hodja moeten denken. Hij had in de buurt gehoord, dat deze wel mensen ontving die hem wilden koppelen. De Hodja reageerde op een, ook voor mij, onverwacht onbeschofte wijze: hij zei dat hij niet van plan was te trouwen, maar al zou hij het willen, dan nog zou hij zeker geen weduwe nemen. Daarop herinnerde onze gast hem eraan dat de profeet Mohammed, Hatice tot vrouw had genomen, en nog wel als eerste vrouw, ongeacht haar weduwschap. De Hodja zei toen dat hij van genoemde weduwe had gehoord, en dat ze nog niet kon tippen aan de vingernagel van de heilige Hatice. Daarop gaf de buurman de Hodja te verstaan dat hij zelf nou ook niet uit zo'n geweldig hout gesneden was: hij had het eerst niet willen geloven, maar iedereen in de buurt zei, dat de Hodja ze niet alle vijf op een rij had; zijn gekijk naar de sterren, zijn gespeel met lenzen en kijkers, en die vreemde klokken die hij maakte, dat alles was toch niet gewoon. En hij voegde eraan toe, met de ijver van een koopman die uit eigen belang nog wat afbreuk doet aan de kwaliteit van de spullen die hij van plan is te kopen: de buurt zei, dat de Hodja zijn eten niet gewoon op zijn hurken of in kleermakerszit at, maar als de ongelovigen aan een tafel gezeten; dat hij boeken waar hij eerst buidels vol geld voor had uitgegeven, gewoon op de grond gooide en bovendien de bladzijden vertrapte, waar de naam van de profeet op genoemd werd; men zei ook dat hij ondanks zijn urenlang getuur naar de sterrenhemel de satan binnen in zich maar niet tot bedaren kreeg, en daarom ook bij daglicht op zijn bed naar het vuile plafond lag te staren; dat hij niet van vrouwen, maar alleen maar van knapen genoot; dat ik zijn tweelingbroer was; dat hij zich tijdens de ramadan niet aan het vasten hield en dat dat de reden was waarom de pest was uitgebroken, ja, dat zei de buurt allemaal.

Nadat hij zijn bezoeker het huis uit had gewerkt, kreeg de Hodja een enorme driftaanval. Ik maakte hieruit op dat aan de rust, die het gevoel emoties met anderen te kunnen delen, of in ieder geval de schijn daarvan, hem had gegeven, een einde was gekomen. Om het de definitieve genadeslag toe te brengen, zei ik dat mensen die niet bang waren voor de pest, zo dom waren als deze vent, met zijn rare neus. Hij werd inderdaad onrustig, maar verklaarde toch weer dat de pest hem niet bang maakte. Waaruit ik dat opmaakte weet ik niet, maar ik concludeerde, dat hij in alle oprechtheid sprak. Hij was erg zenuwachtig, wist niet waar hij zijn handen en armen moest laten, en verviel weer in het herhalen van zijn 'refrein der dommen', waar hij de laatste tijd helemaal niet meer aan had gedacht. Nadat de duisternis was ingevallen, stak hij de lamp aan en wilde hij dat we aan de tafel gingen zitten, die hij midden in de kamer had gezet. Het werd tijd dat we weer eens het een en ander gingen schrijven.

En daar zaten we dan weer tegenover elkaar aan tafel te krabbelen op het lege papier voor ons, als waren we twee vrijgezelle mannen die, om de eindeloos durende winternachten door te komen, elkaar de kaart lezen. Ik vond ons ronduit belachelijk! Toen ik 's ochtends las wat voor droom de Hodja had opgeschreven, vond ik hem nog belachelijker dan ik mijzelf al vond. Hij had in navolging van mijn dromen er zelf ook een opgeschreven, maar uit alles was op te maken dat hij het niet gedroomd had maar uit zijn duim gezogen. Wij zouden broers zijn! Zichzelf had hij de rol van de oudere broer toegedicht; en ik zou gehoorzaam en stil naar zijn wetenschappelijke betogen hebben geluisterd. De volgende morgen aan het ontbijt, vroeg hij me wat ik dacht van het praatje dat in de buurt de ronde deed, namelijk dat wij tweelingbroers zouden zijn. Ik vond die vraag wel leuk, maar mijn trots was nu ook weer niet overdreven gestreeld, dus gaf ik geen antwoord. Twee dagen later maakte hij me midden in de nacht wakker om te zeggen dat hij de droom die hij toen had opgeschreven, dit keer werkelijk had gezien. Misschien was het waar, maar het deed me hoe dan ook niets. De volgende avond zei hij dat hij bang was aan de pest dood te gaan.

Omdat ik er genoeg van had nog langer aan huis gekluisterd te zijn, was ik die dag, rond vieren, de straat opgegaan. In een tuin waren kinderen in bomen aan het klimmen, hun kleurige schoenen uitgetrapt aan de voet ervan, de kletstantes in de rij bij de bron hielden dit keer hun mond niet eens toen ik langskwam; de bazaar was vol mensen die boodschappen deden, en er waren her en der opstootjes: kerels verwikkeld in een knokpartij, mannen die de vechtjassen uit elkaar haalden én van dit schouwspel genietende toeschouwers. Ik probeerde mezelf wijs te maken dat de epidemie voorbij zijn hoogtepunt was, maar toen ik de lijkkisten zag die de een na de ander, achter elkaar door, werden afgevoerd van de binnenhof van de Beyazit Moskee, kreeg ik het te kwaad, ik maakte rechtsomkeert en nam de kortste weg naar huis. Toen ik mijn kamer inging riep de Hodja: 'Kom eens even hier, kom eens kijken...' Hij had zijn hemd losgeknoopt en wees naar een rood vlekje, een bultje, vlak onder zijn navel. 'Er is ook geen plekje veilig voor die insekten,' zei hij. Ik kwam dichter bij hem en bekeek het aandachtig, het was een klein rood vlekje, een lichte zwelling, als bij een beetje grote insektebeet, maar waarom liet hij dat aan mij zien? Ik was te bang om er met mijn gezicht nog dichter bij te komen. 'Een insektebeet,' zei de Hodja. 'Ja toch?' Hij raakte de bult met zijn vinger aan. 'Is het misschien van een vlo?' Ik zweeg, ik zei niet dat ik nog nooit zo'n vlooiebeet had gezien.

Met een smoes bleef ik verder tot zonsondergang in de tuin. Instinctmatig voelde ik dat ik niet meer in dat huis moest blijven, maar ik kon geen plek bedenken waar ik heen kon. Bovendien, die vlek leek toch werkelijk op een insektebeet, hij was lang niet zo groot en dik als een pestbuil; even later dacht ik weer heel wat anders: misschien kwam het doordat ik in de tuin had rondgelopen tussen dat snel opschietende onkruid, maar ik zag voor mijn ogen dat kleine rode bultje al binnen twee dagen opzwellen en openspringen als een bloemknop en de Hodja die gekweld door smartelijke pijnen stierf. Ach, misschien was het ook wel een galbult, bedacht ik me toen weer, maar nee, zo zag het er toch niet uit, dan was het inderdaad eerder een insektebeet. Van welk insekt zou me zo wel te binnen schieten, het was vast zo'n groot tropisch beest dat 's nachts rondvloog, maar ik kon maar niet op de naam van het spookachtige dier komen. Bij het avondeten probeerde de Hodja uit alle macht opgewekt te doen, hij maakte grapjes, plaagde me, maar lang hield hij dat niet vol. Lang, heel lang nadat we van het verder in stilte verorberde maal waren opgestaan en er een windstil en geluidloos duister was ingevallen, zei de Hodja: 'Ik voel me rot. Ik voel me zo naar. Laten we aan tafel gaan zitten en wat schrijven.' Alleen zó dacht hij afleiding te vinden.

Het lukte hem echter niet ook maar één woord uit zijn pen te krijgen. Terwijl ik met een rustig gemoed zat te schrijven, zat hij er als verlamd bij en uit zijn ooghoek naar mij te kijken. 'Wat schrijf je?' Ik las voor wat ik had opgeschreven, hoe ik na mijn eerste studiejaar, aan het begin van de vakantie in een rijtuig met één paard ervoor naar huis was teruggekeerd en hoe ongeduldig ik was geweest om thuis te komen. Tegelijkertijd had ik ook erg van de school gehouden en van mijn vrienden; en ik vertelde hem, hoe erg ik ze had gemist en dat ik voortdurend aan hen had moeten denken als ik in mijn eentje ergens aan de waterkant had zitten lezen in de boeken, die ik voor de vakantie mee naar huis had genomen. Na een korte stilte zei de Hodja ineens fluisterend alsof hij een geheim verklapte: 'Leeft iedereen daar altijd zo gelukkig?' Ik dacht dat hij zodra hij die vraag had gesteld, er wel weer spijt van zou hebben, maar hij bleef me met een kinderlijke nieuwsgierigheid aankijken. En ik zei, nu ook fluisterend: 'Ik was gelukkig!' Zijn gezicht vertoonde enige tekenen van jaloezie, maar het was niet beangstigend. En toen vertelde hij aarzelend en bedeesd: toen zij in Edirne woonden, was zijn moeder een tijd lang geregeld met zijn zusje en hem, hij was toen twaalf jaar, naar het Ziekengesticht van het Beyazit Moskee-complex gegaan, omdat haar vader daar lag, met maagklachten. 's Ochtends had zijn moeder hun kleine broertje, dat nog niet kon lopen, naar de buren gebracht, ze had de schaal met rijstepap, die ze tevoren had klaargemaakt, gepakt en had de Hodja en zijn zusje bij de hand genomen en zo waren ze op pad gegaan; ze liepen altijd dezelfde korte maar leuke weg in de schaduw van populieren. Opa vertelde hun dan vaak mooie verhalen. De Hodja had echt van die verhalen genoten, maar omdat hij het ziekenhuis zelf nog mooier vond, glipte hij wel eens bij hen vandaan om de omgeving te verkennen. En zo had hij op een keer naar muziek staan luisteren, die speciaal voor de geestesziekken werd gespeeld, dat was onder een grote koepel geweest, die verlicht werd door een lantaarn; hij herinnerde zich ook het geluid van water, van stromend water; later had hij langs verschillende kamers gedwaald, waarin vreemde, gekleurde flessen en schalen stonden te glinsteren en te glanzen; op een keer was hij de weg kwijt geraakt en was hij gaan huilen; ze hadden hem het hele ziekenhuis kamer voor kamer laten aflopen, tot hij uiteindelijk de kamer van Abdullah Efendi weer had teruggevonden; soms had zijn moeder gehuild, andere keren had ze heel rustig samen met haar dochtertje naar de verhalen van opa zitten luisteren; later gingen ze weer weg, met de schaal die hun opa weer leeg mee had teruggegeven; maar voor ze bij hun huis aankwamen, kocht hun moeder altijd ergens helva voor ze, 'die eten we lekker op, zonder dat iemand het ziet', zei ze er dan bij. Aan de waterkant onder de populieren hadden zij hun eigen plekje, daar zaten ze dan gedrieën, met hun voeten bungelend boven het water, te eten zonder dat iemand het zag.

Toen de Hodja zweeg, was er een stilte gevallen die ons dichter bij elkaar bracht, maar ons tegelijk ook onrustig maakte. Er was een vreemd broederlijk gevoel tussen ons ontstaan. De Hodja kon deze onrust onverwacht lang verdragen. Pas toen een zware huisdeur ergens dichtbij gedachteloos met een harde klap werd dichtgegooid, begon hij weer te praten. Het was in die tijd dat hij voor het eerst belangstelling voor de wetenschap had gevoeld, door die zieken en de gekleurde flessen, schalen en balansen, die hun genezing brachten. Maar toen zijn opa was gestorven, waren ze er nooit meer geweest. De Hodja had er altijd van gedroomd, om, later als hij groot was, er nog eens in zijn eentje heen te gaan, maar toen was op een gegeven moment de Tunca ver buiten zijn oevers getreden; de ziekenzalen waren ondergelopen en de patiënten moesten worden geëvacueerd; het smerige brakke water trok echter lange tijd maar niet terug, en toen dat eindelijk wél was gebeurd, was zijn mooie ziekenhuisje nog jaren onder die vervloekte stinkende modder blijven zitten, die er niet uit te boenen leek.

Zodra de Hodja zweeg, was de afstand tussen ons ook weer toegenomen. Al pratende was hij van tafel opgestaan, en uit mijn ooghoek zag ik zijn schaduw in de kamer heen en weer bewegen. Toen pakte hij de lamp die midden op tafel stond en liep achter mij langs, nu kon ik noch zijn schaduw, noch hem zelf meer zien; hoewel ik eigenlijk wel achterom wilde kijken, kon ik het niet, alsof ik een bang vermoeden had van de gruwelen die me te wachten stonden. Even later hoorde ik het geritsel van het uittrekken van kleren, en ik draaide me angstig om. Boven de gordel was hij nu naakt, hij was voor de spiegel gaan staan en onderzocht, met het licht van de lamp op zijn lichaam gericht, nauwkeurig en aandachtig zijn, borst en buik. 'Mijn God,' zei hij, 'wat is dit toch voor een puist.' Ik zei niets. 'Kom jij nou ook eens naar dat verdomde ding kijken.' Ik bleef stokstijf op mijn plaats zitten, maar hij schreeuwde: 'Kom hier, zeg ik je!' Bang als een leerling die gestraft zal worden, kwam ik bij hem staan. Zo dicht bij zijn blote lijf was ik nog nooit geweest en ik vond die intimiteit helemaal niet prettig. Eerst wilde ik mezelf nog wijsmaken dat ik om díe reden niet dicht bij hem wilde komen, maar ik wist dat ik gewoon bang was voor de buil. Hij wist dat ook, ook al probeerde ik nog zo hem om de tuin te leiden, door wél met mijn hoofd dichterbij te komen, en met een zogenaamde doktersblik op de rode plek met die bult gericht, een en ander voor me uit te mompelen. 'Je bent bang, is het niet?' zei de Hodja ten slotte. Om het tegendeel te bewijzen, ging ik er nu nog dichter met mijn hoofd naar toe. 'Je bent bang dat het een pestbuil is, hè.' Ik besloot dat woord helemaal niet gehoord te hebben en wilde net zeggen dat hij beslist door een insekt moest zijn gestoken, ongetwijfeld door een zeldzaam insekt, waardoor ik zelf overigens ook eens was gestoken, maar ik kon maar niet op de naam van het beestje komen. Voor ik iets had kunnen zeggen zei de Hodja: 'Voel eens! Hoe kun je weten wat het is, zonder het aan te raken, voel dan!'

Toen duidelijk werd dat ik dat onder geen beding zou doen, werd hij heel vrolijk. Hij ging nu zelf met zijn vingers over de bult en kwam met die vingers naar mijn gezicht toe. Toen hij me vol afschuw zag terugdeinzen, barstte hij in lachen uit en dreef de spot met me, omdat ik bang zou zijn voor een simpele insektebeet, maar lang duurde die vrolijkheid niet. 'Ik ben bang voor de dood,' zei hij ineens. Maar het leek of hij het over iets heel anders had; hij was eerder woedend dan geslagen; het was de woede van iemand die onrecht is aangedaan. 'Heb jij dan niet zo'n bult? Weet je het zeker? Trek je hemd eens uit!' Toen hij bleef aandringen, trok ik mijn hemd uit, zoals een kind doet dat er een hekel aan heeft zich te moeten wassen. De kamer was warm, het raam was dicht, maar ergens kwam een kille windtocht vandaan, ik weet niet, misschien was het de kou van de spiegel wel die mij deed huiveren. Omdat ik mij geneerde voor mijn beeld in de spiegel deed ik een stap naar buiten de lijst. Nu zag ik in de spiegel van opzij het gezicht van de Hodja, dat steeds dichter op me af kwam. Die kolossale kop waarvan iedereen zei dat hij op de mijne leek, was nu vlak bij mijn borst. Om mijn geest te vergiftigen, dacht ik ineens; terwijl ik er toch al jaren prat op ging, dat precies het tegenovergestelde aan de hand was: hij vergiftigde mij niet, ik onderwees hem. Dat het bij me opkwam was op zich belachelijk, maar één ogenblik dacht ik werkelijk dat die bebaarde kop, die in het lamplicht onbeschaamd naar mij opdrong, op het punt stond mijn bloed te gaan uitzuigen! Ik moest wel erg gek zijn geweest op die griezelverhalen, die ik in mijn kinderjaren had gehoord! Terwijl ik dit allemaal dacht, voelde ik zijn vingers op mijn buik; ik wilde wegvluchten, ik wilde met iets tegen zijn hoofd slaan. 'Nee, bij jou zit er geen,' zei hij. Hij was achter mij komen staan en had ook mijn oksels, mijn nek en de plekken achter mijn oren geïnspecteerd. 'Hier ook niet, nee, dat insekt heeft jou niet gestoken.'

Nu kwam hij naast me staan en legde zijn hand op mijn schouder, alsof ik een oude jeugdvriend was met wie hij zijn leed deelde. Toen voelde ik zijn vingers aan weerszijden in mijn nek en duwde hij me met zich mee. 'Kom, we gaan samen in de spiegel kijken.' Ik keek en zag onder het genadeloze licht van de lamp nog eens te meer hoezeer wij op elkaar leken. Ik herinnerde me, hoe ik de eerste keer dat ik hem zag, toen ik zat te wachten bij de deur van Sadik Pasja, door ditzelfde gevoel bevangen was geweest. Toen had ik iemand gezien, die eigenlijk ik was; en nu, nu dacht ik weer dat *híj* mij was. Wij tweeën waren één! Dit kwam me plotseling voor als een onontkoombare waarheid. Ik stond er als verlamd bij, als met gebonden handen. Om deze impasse te doorbreken, maakte ik een beweging, als om te bevatten dat ik echt ik was: snel ging ik met mijn hand door mijn haren. Maar hij deed virtuoos en met overgave meteen precies hetzelfde, zonder de symmetrie in de spiegel ook maar even te verstoren. Hij imiteerde bovendien mijn manier van kijken, de stand van mijn hoofd, en deed mijn ontzetting na, die maakte dat ik enerzijds nauwelijks in de spiegel kon kijken, maar anderzijds juist aangetrokken door het griezelige ervan, mijn ogen er niet van af kon houden. Toen werd hij zo vrolijk als een kind dat zijn vriendje op de kast jaagt door al zijn woorden en bewegingen na te doen. Hij joelde het uit! Wij zouden samen dood gaan! Wat een nonsens, dacht ik. Maar toch was ik bang. Dit was de meest huiveringwekkende van al de nachten die ik met hem heb doorgebracht.

Wat later beweerde hij dat hij vanaf het begin af aan bang was geweest voor de pest, hij had alleen maar gedaan alsof om mij op de proef te stellen. Net zoals toen de beulen van Sadik Pasja mij hadden weggeleid om mij te doden, dat was net zoiets geweest, en ook wanneer anderen ons voor elkaar aanzagen; toen zei hij dat hij mijn geest te pakken had gekregen. Dat was wat er aan de hand was geweest toen hij daarnet mijn bewegingen imiteerde: wat ik ook maar dacht, hij wist het al, en wat ik ook maar wist, hij dacht het al! Daarna vroeg hij me waar ik op dat moment aan dacht. Iets anders dan *híj* was er niet in mijn hoofd en ik zei dat ik helemaal nergens aan dacht, maar hij luisterde niet naar me; hij praatte niet meer om nog iets te horen, hij praatte alleen nog om me bang te maken, om met zijn eigen angst te spelen, en om mij van die angst mijn deel te geven. Mijn gevoel zei me dat hoe zwaarder hij zijn eenzaamheid voelde, hoe erger kwaad hij zou willen doen. Terwijl hij met zijn handen over onze gezichten tastte, terwijl hij mij schrik probeerde aan te jagen met de betovering van onze absurde gelijkenis–en hij overigens zelf veel opgewondener en zenuwachtiger werd dan ik–hield ik mezelf de hele tijd voor dat hij pas straks iets echt slechts zou gaan doen: ik zei tegen mezelf dat zijn geweten hem zeker nog niet toestond dit kwaad nu meteen uit te voeren en dat hij mij daarom nog steeds, met zijn hand als een klem in mijn nek, voor de spiegel vasthield, maar ik vond toch ook niet dat hij een totaal onzinnige of radeloze indruk maakte: hij had gewoon gelijk, ook ik wilde zeggen en doen was hij had gezegd en gedaan, en ik was jaloers dat hij mij voor was geweest en eerder dan ik kans had gezien om te spelen met de schrik van de pest en de spiegel.

Maar ondanks het feit dat ik zo bang was geworden, en ondanks het feit dat ik besefte dat ik dingen had opgemerkt, die ik nooit eerder met betrekking tot mezelf had bedacht, kon ik mij toch ook niet onttrekken aan het gevoel dat het allemaal maar een spelletje was. De greep van zijn vingers om mijn nek verslapte, maar ik ging niet bij de spiegel vandaan. 'Ik ben net zo geworden als jij,' zei de Hodja toen. 'Ik weet nu dan eindelijk hoe bang je bent. Ik ben jou geworden!' Ik begreep wat hij zei, maar ik deed mijn best om deze profetie, waarover bij mij vandaag de dag geen twijfel bestaat dat hij tenminste voor de helft juist was, kinderachtige nonsens te vinden. Hij beweerde dat hij de wereld nu kon zien zoals ik; hij had het weer over 'zij', hij begreep nu eindelijk hoe 'zij' dachten en voelden. Hij wendde zijn blik af van de spiegel, en praatte nog wat door, terwijl zijn ogen dwaalden langs de half door de lamp verlichte, half donkere tafel, glazen, stoelen en andere voorwerpen. Toen merkte hij op dat hij dingen die hij eerder niet had kunnen zeggen, omdat hij ze niet had kunnen zien, nu wél kon zeggen, maar ik was ervan overtuigd dat hij zich vergiste: de woorden waren hetzelfde gebleven, de voorwerpen ook. Het enige nieuwe was zijn angst; en ook dat niet, nee, de manier waarop hij zijn angst uitleefde, maar ook nu zou ik niet duidelijk kunnen omschrijven waar die nou precies uit bestond, die manier, het leek me een houding die hij had aangenomen voor de spiegel, een nieuw spel. Het was alsof hij, wanneer hij met dit spel zou ophouden, onwillekeurig weer zou belanden bij die rode bult, en de vraag: is het nu van een insekt of is het de pest?

Na een tijdje zei hij dat hij door wilde gaan op het punt waar ik was gebleven. We waren nog steeds halfnaakt en nog steeds niet bij de spiegel vandaan. Hij zou mijn plaats innemen en ik die van hem, en het was volgens hem voldoende als we van kleren verwisselden, als hij zijn baard afschoor en als ik de mijne liet staan. Deze gedachte maakte onze gelijkenis in de spiegel nog angstaanjagender en mijn zenuwen hadden het zwaar te verduren toen ik vervolgens hoorde: ja, en dan zou ik hém dus vrijlaten; en hij vertelde met een waar genoegen wat hij, eenmaal in mijn plaats, bij terugkeer in mijn land allemaal zou doen. Ik was verbaasd te merken dat hij alles wat ik hem ooit had verteld over mijn kindertijd en mijn jeugd tot in het kleinste detail had onthouden, en hoe hij uit die details naar eigen inzicht een absurdistisch en onwerkelijk droomland had gevormd. Mijn leven was aan mijn eigen controle ontsnapt en werd in zijn handen naar heel andere oorden geleid, en wat mij betreft, het was alsof er voor mij niets anders overbleef dan, zoals je soms doet in een droom, van een afstand toe te zien bij wat mijzelf allemaal overkwam. Maar de reis die hij, als mij, naar mijn land zou maken en het leven dat hij daar zou leiden, waren zo lachwekkend absurd en naïef, dat dát mij ervoor behoedde hem helemaal te geloven. Van één kant verbaasde ik mij wel over de coherentie in de gefantaseerde details. Die hadden best zo geweest kunnen zijn, zo kwam in mij op; ik had net zo goed ook op die manier kunnen leven. Ik begreep dat de Hodja voor het eerst van een diepgaander begrip van het leven had blijk gegeven, maar ik was niet in staat onder woorden te brengen waar hem dat nu precies in zat. Toen ik zo perplex stond te luisteren naar wat ik allemaal zou hebben gedaan in mijn wereld van weleer, waar ik jarenlang met heimwee aan had teruggedacht, was ik even mijn angst voor de pest vergeten.

Maar niet voor lang. De Hodja vond dat het nu mijn beurt was om te vertellen, wat ik allemaal zou doen als ik zíjn plaats had ingenomen. Ik had, om in die absurde situatie overeind te blijven, echter zo mijn best gedaan te geloven dat wij níet op elkaar leken en dat die bult maar een insektebeet was, en dit had mijn zenuwen zo'n knauw gegeven, dat ik helemaal niets kon bedenken. Toen hij bleef aandringen, herinnerde ik me dat ik ooit het plan had opgevat om bij terugkeer in mijn land mijn memoires te schrijven, dus ik zei: ik zal misschien op een dag het verhaal schrijven van wat hem allemaal is overkomen, maar toen ik dat zei, kon hij zijn walging en minachting niet onderdrukken. Ik kende hem toch helemaal niet in de mate waarin hij mij kende! Hij duwde me opzij en ging alleen voor de spiegel staan. Nu verplaatste hij zich in mij en hij zou me wel eens even vertellen, wat mij allemaal zou overkomen! Eerst zei hij dat de bult een pestbuil was; en ik zou dus dood gaan. Daarna vertelde hij hoe ik alvorens te sterven van de pijn zou kronkelen. De angst, omdat ik onvoorbereid was, daar ik het tot nu toe nog niet had begrepen, was overigens nog erger dan de dood zelf. Terwijl hij vertelde hoe ik zou lijden en met de ziekte zou vechten, was hij van de spiegel weggegaan; toen ik even later keek, zag ik hem op zijn rommelige bed op de grond liggen, vanwaar hij verder vertelde over de kwellingen en de pijn, die ik te verduren zou krijgen. Zijn hand lag op zijn buik, bedacht ik me, alsof hij hem op de pijn drukte waarover hij aan het vertellen was. Op dat moment riep hij me en angstig liep ik naar hem toe, maar ik had daar direct spijt van, want voor ik het wist was hij alweer begonnen mij met diezelfde hand aan te raken. Ik hield me zelf voor dat het al met al niets anders was dan een insektebeet, maar toch was ik bang.

De hele nacht ging het zo door. Terwijl hij probeerde me te besmetten met de ziekte en met zijn angst, bleef hij maar herhalen dat ik hem was en hij mij. Hij vindt het kennelijk prettig, dacht ik, om uit zichzelf te treden en van buiten naar zichzelf te kijken, en ik bleef, als iemand die uit een droom wakker wil worden, tegen mezelf herhalen: hij speelt een spelletje; dat woord, 'spelletje', gebruikte hij immers zelf ook steeds, maar aan de andere kant: hij lag zwaar te zweten, en dit niet zozeer als iemand die in een warme kamer bijna stikt van angst door zijn eigen benauwende woorden, maar veeleer als een patiënt met een ernstige lichamelijke kwaal.

Toen de zon al opkwam, was er aan zijn woordenstroom nog steeds geen einde gekomen: over de sterren en de dood, over uit de duim gezogen voorspellingen, over de domheid van de Padisjah, en over diens nog grotere ondankbaarheid, over zijn eigen geliefde domkoppen, over 'lieden als wij' en 'lieden als zij', over dat hij een ander wilde zijn! Ten slotte luisterde ik niet meer en liep de tuin in. Ongemerkt waren er gedachten over onsterfelijkheid, die ik eens in een oud boek had gelezen, door mijn hoofd gaan spelen. Buiten was geen leven te bekennen, behalve de mussen die in de lindebomen tsjilpten en van tak naar tak schoten. Een verbijsterende rust! Ik dacht aan andere kamers in Istanbul en aan de pestlijders. En ik dacht: had de Hodja werkelijk de pest, dan zou het op deze manier doorgaan tot hij zou sterven, en had hij niet de pest, dan zou het op deze manier toch zo lang doorgaan tot die rode zwelling verdwenen zou zijn. Ik voelde dat ik niet langer in dat huis kon blijven. Toen ik weer naar binnen ging had ik nog geen idee waar ik naar toe zou kunnen vluchten om me te verschuilen. Het enige dat ik kon bedenken was dat het in ieder geval dit moest zijn: ver weg van de Hodja, ver weg van de pest. Terwijl ik enkele kledingstukken in een zak propte, besefte ik alleen nog, dat deze plek ook wel weer zo dichtbij moest zijn, dat ik er zou kunnen komen zonder dat ik tijdens mijn vlucht al gepakt zou worden.

7

Ik had wat geld bij elkaar gespaard door van tijd tot tijd van de Hodja kleine bedragen te stelen en dat aan te vullen met wat ik hier en daar had verdiend. Alvorens het huis te verlaten haalde ik dat geld uit mijn geheime bergplaats, een sok in een kist met boeken die nooit meer gelezen werden. Door nieuwsgierigheid gedreven, ging ik daarna nog even naar de kamer van de Hodja. Zijn lamp brandde nog, en hij lag badend in het zweet te slapen. Ik verbaasde me erover hoe klein de spiegel in feite maar was, die mij de hele nacht zo de stuipen op het lijf had gejaagd met die toverachtige gelijkenis waar ik nooit helemaal in had kunnen of durven geloven. Toen ging ik snel, zonder iets aan te raken, het huis uit; terwijl ik door de straten van onze buurt liep, waaide er een zachte wind en ik voelde de sterke behoefte mijn handen te wassen; ik wist waar ik heen zou gaan en was tevreden. Ik vond het heerlijk om zo in de ochtendstilte over straat te lopen, af te dalen door de steile straatjes richting zee, steeds weer mijn handen te wassen bij de waterplaatsen onderweg, de Gouden Hoorn te zien.

Ik had voor het eerst van het eiland Heybeli gehoord van een jonge monnik die daarvandaan kwam en nu in Istanbul woonde. Bij onze ontmoeting in Galata had hij mij enthousiast over de schoonheid van de eilanden verteld. Zijn verhalen moeten zich vast in mijn hoofd hebben genesteld, want toen ik onze buurt verliet, wist ik ineens heel zeker dat dat de plek was waar ik naar toe zou gaan. De vissers en de veermannen die ik aansprak vroegen verschrikkelijk veel geld om mij naar het eiland te brengen en dat beviel me niks; ik leidde eruit af dat ze door hadden dat ik op de vlucht was en het leek me dat ze zonder aarzelen de mannen die de Hodja achter me aan zou sturen, zouden vertellen waar ik was!

Maar achteraf begreep ik dat er iets anders aan de hand was: op deze manier zetten ze alle christenen af, die ze minachtten om hun angst voor de pest. Om niet te zeer de aandacht te trekken, werd ik het snel eens met de tweede veerman die ik sprak. In plaats van flink aan de roeiriemen te trekken – en hij was toch al geen krachtpatser – praatte de man maar door en vertelde me tot in details voor welke zonden allemaal de pest als straf gezonden was. Hij voegde eraan toe dat het me niet zou helpen een veilig heenkomen te zoeken op het eiland om aan die straf te ontkomen. Terwijl hij zo praatte, begreep ik dat hij in feite even bang was als ik. De tocht duurde zes uur.

Wat een gelukkige dagen het waren, die ik op dat eiland heb doorgebracht, heb ik me veel later pas gerealiseerd. Ik woonde voor een klein beetje geld bij een Griekse visser in huis, die kind noch kraai had, en probeerde me niet in het openbaar te vertonen maar ik was wel wat onrustig. Soms was ik ervan overtuigd dat de Hodja gestorven was, dan weer kon ik alleen maar denken aan de mannen die hij achter me aan zou sturen. Er waren op de eilanden veel christenen, die net als ik gevlucht waren voor de pest, maar ook hen ontliep ik zo veel mogelijk.

's Ochtends ging ik in de regel samen met de visser de zee op en we keerden pas tegen de avond terug. Lange tijd was ik verslingerd aan het jagen op kreeft en krab met een harpoen. Als het geen weer was om te gaan vissen, liep ik het eiland rond en het gebeurde ook wel dat ik de wijngaard van het klooster inging en daar onder de wijnstokken een tukje deed. Daar was ergens een loofdakje, tegen een vijgeboom aan geplakt, en op dagen met erg helder weer was van daaruit helemaal de Ayasofya te zien; van onder die luifel kon ik uren naar Istanbul zitten kijken en dagdromen. Op een keer droomde ik dat ik de Hodja in een roeiboot naar het eiland zag komen onder een escorte van dolfijnen en dat hij overal naar me vroeg. Dit moest wel betekenen dat hij me op mijn hielen zat. Een andere keer zag ik hem samen met mijn moeder; ze maakten me verwijten en vroegen me waarom ik te laat was. Wanneer ik zwetend door de zon die in mijn gezicht brandde wakker was geworden en vergeefs de draad van die dromen weer op wilde pakken, dwong ik mezelf me voor te stellen dat de Hodja gestorven was. Ik dacht aan de dode in het lege huis dat ik had verlaten, aan de mensen die het lijk kwamen weghalen, aan de stilte rond die overledene die niemand meer op de wereld had gehad; later dacht ik ook aan zijn voorspellingen, aan de léuke dingen die hij met zoveel plezier had verzonnen én aan wat hij allemaal in haat en woede had uitgedacht; ik dacht aan de Padisjah, en aan de dieren van de Padisjah, begeleid door de kreeften en krabben die ik dwars door rug en buik aan mijn harpoen had gespietst en hun steeds trager wordende schaarbewegingen.

Langzaam maar zeker was ik bezig mezelf ervan te overtuigen dat het mogelijk was om naar mijn land te ontsnappen. Het geld dat ik daarvoor nodig had hoefde ik alleen maar te stelen uit de huizen van het eiland, met hun open deuren en schouwen; maar er was één ding dat eerst moest gebeuren: ik moest de Hodja vergeten. Ik bleef me maar laten meeslepen door mijn herinneringen en kon me niet losmaken van de betovering die uitging van alles wat me was overkomen: ik ging mezelf bijna nog verwijten dat ik een mens die zo op mij leek aan zijn lot en aan de dood had overgelaten. Ik miste hem uit de grond van mijn hart, zoals ik hem ook nu nog mis, maar leek hij nu werkelijk zo op mij als ik me herinnerde? Of hield ik mezelf voor de gek? Daarna kwam het me voor alsof ik in die elf jaar niet één keer zijn gezicht goed in me had opgenomen, terwijl ik dat in feite toch zo vaak had gedaan. De gedachte kwam zelfs in me op even naar Istanbul over te steken om voor een laatste keer naar zijn, nu dode, lichaam te kijken. Maar uiteindelijk besloot ik dat ik me om me vrij te kunnen voelen, ervan moest overtuigen dat iedere gelijkenis tussen ons alleen in mijn geest bestond en niet op werkelijkheid berustte, dat het een smakeloze zinsbegoocheling was die ik zo snel mogelijk moest zien te vergeten.

Het was maar goed dat dit me niet lukte, want op een dag stond de Hodja ineens voor mijn neus! Ik lag in de achtertuin van de visser met gesloten ogen in de zon droomkastelen te bouwen, toen ik zijn schaduw voelde, hij stond voor me, glimlachte, maar niet als iemand die het spel heeft gewonnen, maar alsof hij van me hield! Er kwam een bovennatuurlijk blind vertrouwen over mij, dat me bijna bang maakte. Misschien had ik hier toch heimelijk op gewacht, want onmiddellijk gedroeg ik mij als een schuldbewuste slaaf, als een knecht die de nek buigt. Terwijl ik mij gereed maakte voor ons vertrek, voelde ik geen haat jegens de Hodja, maar slechts verachting voor mijzelf. Hij betaalde de schuld die ik nog aan de visser had. De terugtocht ging snel, want hij en de twee mensen die hij bij zich had waren met een boot met dubbele riemen gekomen, en we waren nog voor donker thuis. Ik had zowaar de geur van het huis gemist. De spiegel hing niet meer op zijn oude plek aan de muur.

De volgende morgen nam de Hodja mij onder handen: mijn misdaad was zeer zwaar; niet alleen was ik gevlucht, maar in de vaste overtuiging dat een, onschuldige, insektebeet in feite een pestbuil was, had ik hem zomaar op zijn sterfbed achtergelaten. Hij snakte ernaar me te straffen, maar daar was nu geen tijd voor. En hij vertelde: de Padisjah had hem een week geleden laten komen en gevraagd wanneer die pest nu eindelijk eens zou stoppen, hoeveel zielen het nog zou kosten, en of zijn eigen leven in gevaar was. Omdat hij totaal niet voorbereid was, had de opgewonden Hodja antwoorden gegeven waar je alle kanten mee op kon. Hij had eraan toegevoegd dat hij voor een gefundeerd antwoord de sterren moest bestuderen en daar tijd voor gevraagd. Uitgelaten als een jonge hond was hij naar huis teruggelopen, maar kwam er vervolgens maar niet uit hoe hij de belangstelling van de Padisjah het beste kon dirigeren. En dus had hij besloten mij terug te halen.

Hij wist al geruime tijd dat ik op het eiland was; na mijn vlucht bleek dat hij simpelweg een verkoudheid had gehad, en drie dagen later was hij al naar me op zoek gegaan; bij de vissers had hij inderdaad mijn spoor gevonden, en nadat hij de tong van de veerman wat losser had gemaakt met een goedgevulde beurs, had de praatgrage man verteld dat hij mij naar Heybeli had geroeid. Omdat de Hodja wist dat ik van de eilanden toch nergens anders heen kon, was hij me niet achterna gekomen. Toen hij zei dat dit jongste contact met de Padisjah de belangrijkste kans van zijn leven was, gaf ik hem gelijk. En hij zei er openlijk bij dat hij mijn kennis nodig had.

We begonnen meteen te werken. De Hodja had de vastbeslotenheid van mensen die weten wat ze willen; die stelligheid, die ik vroeger bij hem niet vaak had gezien, stond me aan. Omdat hij de volgende dag weer ontboden zou worden, namen we het besluit eerst te zien hoe we tijd konden winnen. We waren het onmiddellijk eens over de hiertoe te volgen procedure: niet te veel informatie geven, maar wel zorgen dat wát we zeiden, zichzelf direct zou bevestigen. De scherpzinnigheid van de Hodja, waar ik veel van hield, had hem nu de volgende visie ingegeven: 'Waarzeggen is gewoon een soort narrenwerk, maar kan uitstekend gebruikt worden om hen in hun domheid te manipuleren.' Terwijl hij luisterde naar wat ik allemaal te zeggen had, gaf de Hodja er blijk van dat hij nu inmiddels ook de mening was toegedaan dat de pest een ramp is, die alleen met maatregelen met betrekking tot de volksgezondheid is te bestrijden. Hij ontkende niet, en dat deed ik overigens net zo min, dat er een verband bestond tussen Allah en het onheil, maar het was een indirect verband zo zei hij; en dáárom konden wij, stervelingen, wel degelijk de armen uit de mouwen steken om iets tegen de rampspoed te ondernemen, zonder dat dat iets aan Allahs macht af zou doen. Had niet de heilige Ömer, om zijn leger tegen de pest te beschermen, Ebu Übeyde van Syrië naar Medina laten komen? Nu zou de Hodja, om hem te beschermen, de Padisjah vragen zijn contacten met anderen tot een minimum terug te brengen. Om hem te dwingen dergelijke voorzorgsmaatregelen te nemen, overwogen wij even om de Padisjah doodsbang te maken, maar dat was toch te gevaarlijk; de sultan was nooit alleen en het was dus onmogelijk hem met een dichterlijke beschrijving van de dood doodsangst aan te jagen; zelfs al zou híj onder de indruk raken van de voorspellingen van de Hodja, er was nog altijd die domme schare om hem heen, die alles zou doen om zijn angst weg te nemen; later zouden die schaamteloze dommeriken dan ook nog eens, wanneer het hun uitkwam, de Hodja van ketterij kunnen beschuldigen. Om deze reden bedachten wij een omstandig verhaal, waarbij we steunden op mijn kennis van de literatuur.

Waar de Hodja het meest tegen opzag, was dat hij een schatting moest maken van het moment waarop de pest afgelopen zou zijn. Ik voelde dat we aan de slag moesten met de dagelijkse dodencijfers. Toen ik dat tegen de Hodja zei, was hij niet erg onder de indruk, maar hij zou toch de hulp van de Padisjah inroepen teneinde de nodige cijfers te bemachtigen, wat hij dan wel op de een of andere manier moest zien in te kleden. Nu is het niet zo dat ik zo'n geweldig vertrouwen heb in mathematica, maar ja, we konden niet anders.

De volgende morgen ging híj naar het Paleis en ík de stad in en de epidemie tegemoet. Ik was nog even bang voor de pest als eerst, maar de drang om te handelen, levenskracht en het verlangen om de wereld, al was het maar een beetje, naar mijn hand te zetten, hadden mij licht in het hoofd gemaakt. Het was een winderige, frisse zomerdag; terwijl ik tussen de stervenden en de doden rondliep bedacht ik dat ik in geen jaren zó van het leven had gehouden. Ik liep de voorhoven van de moskeeën op, noteerde er het aantal doodkisten, en probeerde een verband te leggen tussen wat ik allemaal op mijn tocht door de buurt zag en het dodental: het was niet eenvoudig conclusies te trekken uit deze verzameling huizen, mensen, drukte, pret, ellende en vreugde, en met een vreemde honger had ik bovendien slechts oog voor speciale details van andermans leven, voor het geluk, de onmacht maar ook de zorgeloosheid van mensen die in een huisgezin in familieverband leefden.

Tegen het middaguur stak ik, in een soort dronkemansroes door de drukte en de doden, over naar de andere oever, naar Galata, waar ik langs de koffiehuizen van de dokwerkers trok, onwennig aan een waterpijp lurkte, puur om de ervaring in een eethuisje at, en markten op- en winkels in- en uitliep. Ik wilde alles wat ik zag wel in mijn hersenen griffen, daar móest ik toch iets uit kunnen afleiden... 's Avonds kwam ik moe en uitgeput pas na het donker thuis en hoorde de Hodja aan die terug was van het Paleis.

Alles was volgens plan verlopen. Het verhaal dat wij hadden verzonnen was goed tot de Padisjah doorgedrongen. Hij was ervan overtuigd dat de pest, precies als de satan, zou proberen hem om de tuin te leiden door zich in mensengedaante te vermommen; hij had besloten dat iedere vreemdeling uit het Paleis moest worden geweerd; de in- en uitgangen werden direct onder strenge controle gesteld. Toen hij daarna aan de Hodja had gevraagd wanneer en hoe de pest zou ophouden, had deze zo'n bloemrijke taal over de Padisjah uitgestort, dat hij angstig had gezegd dat hij levendig voor ogen zág hoe de doodsengel Azrail als in een roes door de stad rondwaarde: iedereen op wie zijn oog maar viel pakte hij bij de hand en trok hij met zich mee... Lichtelijk in paniek corrigeerde de Hodja dit meteen, het was niet de engel Azrail, maar de satan, die de mensen de dood introk. En ook verkeerde hij niet in een roes, hij was daarentegen zeer uitgeslapen en geslepen. De Hodja had dat moment ook aangegrepen om, geheel volgens ons plan, te verklaren dat de strijd met de satan aangebonden moest worden. En om erachter te kunnen komen wanneer de pest de stad met rust zou laten, moesten we eerst goed kijken waar hij allemaal rondwaarde. Al waren er mensen uit het gevolg van de Padisjah geweest die hadden gezegd dat wie zich met de pest bezig hield zich in feite verzette tegen Allah, hij had er zich niets van aangetrokken; toen was hij plotseling over de dieren begonnen: greep de pestduivel ook valken, buizerds, leeuwen en apen? De Hodja had prompt geantwoord dat de satan naar ménsen in mensengedaante komt, en naar dieren in de gedaante van een rat. Daarop had de sultan bevolen vijfhonderd katten te laten komen uit een verre stad, die nog gespaard was gebleven van de pest, en om de Hodja het aantal mannen ter beschikking te stellen, waar hij om gevraagd had.

De twaalf personen die zodoende onder ons bevel waren gesteld, stuurden we meteen alle kanten uit Istanbul in. Ze liepen wijk na wijk af en meldden ons de aantallen doden en alles wat hun verder nog opgevallen was. Op onze tafel hadden we een ruwe plattegrond van Istanbul uitgevouwen, die ik had gemaakt op basis van verschillende boeken met enige correcties van mijzelf. 's Nachts tekenden we afwisselend met bezorgdheid en opluchting op deze kaart aan waar de pest had rondgewaard, en bedachten wat we de sultan moesten zeggen.

Aanvankelijk waren we niet erg optimistisch. De pest waarde niet zozeer als een geslepen duivel door de stad rond, maar eerder als een doelloze vagebond. De ene dag nam hij veertig zielen in Aksaray, waarna hij de volgende dag in Fatih opdook; en we hadden dat nog niet geconstateerd, of alle tekenen wezen erop dat hij inmiddels aan de andere oever in Tophane of Cihangir rondzwierf, maar de dag daarop bleek dan weer tot onze verbazing dat hij daar nauwelijks had huisgehouden en naar Zeyrek door was getrokken en in onze buurt aan de Gouden Hoorn in één klap twintig mensen had neergemaaid.

Uit de dodencijfers was eigenlijk ook niets af te leiden; de ene dag stierven er vijfhonderd mensen, de andere dag honderd. Voor we begrepen dat we niet moesten kijken naar de plek waar de pest zijn slachtoffers dóódde, maar waar hij binnenkwam en toesloeg, was er heel wat tijd verstreken, en de Padisjah liet alweer de Hodja bij zich roepen. Na veel wikken en wegen besloten we dat hij aan de Padisjah moest vertellen dat de pest met name rondwaarde in de drukke winkelstraten, de bazaars, en de markten, waar de mensen elkaar verdringen, en in de koffiehuizen waar de roddelaars zo ongeveer bij elkaar op schoot zitten. Met deze boodschap ging hij naar het Paleis en kwam pas 's avonds weer thuis.

Hij had alles wat hij te zeggen had gezegd en de Padisjah had daarop gevraagd: 'Wat moeten we doen?' Toen had de Hodja geantwoord dat het mensenverkeer in de straten van de bazaar en de markt, en ook op de wegen die de stad in- en uitleidden, desnoods met de wapenstok, tot een minimum teruggebracht moest worden: natuurlijk waren de betweters, die ook nu weer rond de sultan hingen, daar direct tegen ingegaan. Hoe moest de stad dan van voedsel worden voorzien. Als de handel stokte, hield ook het leven op, en als mensen hoorden dat de pest in mensengedaante rondging, zou het angstzweet hun uitbreken; de verbeelding van sommige van de aanwezigen was volledig met hen aan de haal gegaan en ze waren er vast van overtuigd dat de Dag des Oordeels was aangebroken; daarna waren ze opstandig geworden, wie zou er nu immers opgesloten willen zijn in een buurt waar de pestduivel rondwaarde. 'En daar hadden ze gelijk in,' zei de Hodja. Toen er op dat moment iemand zo dom was om te vragen, waar ze dan wel de man moesten vinden, die het volk zo zijn wil op zou kunnen leggen, was de Padisjah in woede uitgebarsten; hij had geroepen dat hij iedereen zou laten straffen die aan zijn macht twijfelde en daarmee iedereen bang gemaakt. Nog steeds woedend, had hij bevolen dat alles wat de Hodja had gezegd, gedaan moest worden, maar hij had toch niet nagelaten ook zijn gevolg te raadplegen. De oppersterrenwichelaar Sitki Efendi had, om de Hodja het mes op de keel te zetten, eraan herinnerd dat deze tot nu toe nog steeds niet had kunnen zeggen wanneer de pest Istanbul de rug zou toekeren. Bang dat de sultan hem gelijk zou geven, had de Hodja snel beloofd de volgende keer met een kalender te zullen komen.

We hadden de plattegrond op de tafel helemaal gevuld met tekens en getallen, maar konden er maar niet achter komen volgens welke logica de pest door de stad waarde. Intussen was het uitgaansverbod van de Padisjah al ruim drie dagen in werking. De Janitsaren hadden bij de toegangspoorten tot de bazaars, en ook bij de hoofdwegen en de aanlegsteigers, versperringen opgericht, waar ze elke passant aan een strenge ondervraging onderwierpen. 'Wie ben je? Waar ga je naar toe? Waarom?' Schichtige en verbouwereerde reizigers, en ook mensen die zich daar zomaar zonder reden ophielden, stuurden ze rechtsomkeer naar hun huis terug: nee, de pest zou hun niet om de tuin leiden! Toen we hoorden dat de bedrijvigheid in de grote overdekte bazaar en in de Unkapani-buurt sterk was afgenomen, schreven we de dodencijfers die we de laatste maand hadden verzameld op grote vellen, hingen die aan de muur en dachten er diep over na. Volgens de Hodja gingen we er ten onrechte van uit dat de pest volgens een zekere logica te werk ging, en we moesten om onze kop te redden snel iets verzinnen wat de Padisjah even zoet zou houden.

Uit die tijd stamde ook de pasjesmaatregel. De commandant van de Janitsaren gaf, zodat de handel niet helemaal stil zou vallen en de stad zonder voedsel zou komen te zitten, schriftelijke vergunningen uit voor wie daarvoor in aanmerking kwam. Toen we hoorden dat hij daar grof geld voor opstreek en de kleine kooplieden, die niet het slachtoffer van deze afpersing wilden zijn, bezig waren een opstand voor te bereiden, was ik net voor het eerst enige logica in de sterftecijfers gaan onderscheiden. Ik zei dat tegen de Hodja, toen hij me vertelde over de te verwachten intriges van grootvizier Köprülü in samenwerking met de kooplieden, en ik probeerde hem duidelijk te maken dat de pest langzaam maar zeker aan het wegtrekken was uit de achterbuurten en armenwijken.

Hij was niet erg overtuigd door wat ik vertelde, maar liet het toch aan mij over om een kalender te maken. Hij zei dat hij zelf, om de Padisjah bezig te houden, ook nog een verhaal zou schrijven, zonder feitelijk enige betekenis, en waaruit niemand na lezing welke conclusie dan ook zou kunnen trekken. Op een keer vroeg hij me: kon men een verhaal verzinnen dat geen enkele andere diepere betekenis had dan het lees- en luisterplezier dat het verschafte? Ik zei prompt: 'Zoals bij muziek?', wat de Hodja in verwarring bracht. Later bedachten we dat bij een goed verhaal het begin kinderlijk moest zijn als in een sprookje, het middengedeelte ademstollend als bij een angstdroom, en het slot weemoedig als van een liefdesgeschiedenis die eindigt met een afscheid. De nacht voordat hij naar het Paleis ging, bleven we de hele nacht op, opgewekt met elkaar pratend en intussen koortsachtig doorwerkend. In de zijkamer zat een vriend van ons, een linkshandige kalligraaf, de hoofdstukken van het verhaal dat de Hodja maar niet afkreeg, in het net over te schrijven. Tegen de ochtend trok ik, met behulp van de uitkomsten van de vergelijkingen, waaraan ik dagenlang had gewerkt, de conclusie dat de pest zijn allerlaatste slachtoffers in de buurten van de bazaars zou vinden en over twintig dagen de stad zou verlaten. De Hodja vroeg niet waarop ik deze conclusie baseerde, maar zei alleen maar dat de dag van verlossing te ver weg was, en vroeg me een nieuwe kalender maken, voor een termijn van twee weken, en om de lengte van deze termijn met andere getallen te verhullen. Ik dacht daar niet zo lichtvaardig over als hij, maar deed toch wat hij had gezegd. De Hodja verzon zelf ter plekke bij verschillende data van de kalender enkele versregels en duwde het de kalligraaf in handen, die net klaar was met zijn andere werk; ten slotte vroeg hij mij nog bij sommige versregels een kleine illustratie te maken. Toen hij tegen de middag met het stuk, dat hij in aller ijl in een kaft van blauw marmerpapier had laten inbinden, vertrok, was hij bedrukt, bezorgd en bang. Hij zei me dat hij meer vertrouwen had in de pelikanen, gevleugelde stieren, rode mieren en sprekende apen waarmee we zijn verhaal vol hadden getekend, dan in de kalender.

De komende weken verkeerde hij iedere avond als hij thuis kwam in een staat van grote opwinding; die opwinding duurde drie hele weken, tot hij uiteindelijk de Padisjah geheel en al overtuigd had van de juistheid van zijn voorspelling. Na de eerste dag zei hij steeds tegen me: 'Alles is mogelijk', maar in feite was die dag helemaal zo hoopvol niet geweest: toen een jonge knaap met een mooie stem de verhalen voorlas, waren er in het rond de Padisjah verzamelde gezelschap zelfs mensen geweest die hardop hadden gelachen; het was overduidelijk dat ze zich hiertoe hadden geforceerd om de Hodja te vernederen en te zorgen dat hij bij de sultan uit de gratie zou vallen, maar de Padisjah had hen ernstig berispt en tot zwijgen gemaand; hij had alleen wel gevraagd op welke aanwijzingen de Hodja eigenlijk zijn voorspelling baseerde, dat de pest over twee weken voorbij zou zijn. De Hodja had daarop gezegd dat alles in zijn verhaal zat vervat, een verhaal dat overigens niemand had begrepen. Daarna had hij om zich geliefd te maken bij de Padisjah, aardig gedaan tegen de katten, die per schip uit Trabzon waren aangevoerd, en waarvan het werkelijk krioelde in alle denkbare kleuren, niet alleen op de binnenhoven, maar zelfs tot in de woonverblijven aan toe.

De tweede dag vertelde hij bij zijn thuiskomst dat het Paleis in twee kampen was verdeeld: één groep, waaronder opperwichelaar Sitki Efendi, eiste dat alle maatregelen die genomen waren met betrekking tot de pest opgeheven werden, maar de anderen hadden samen met de Hodja volgehouden: 'We moeten de stad geen lucht geven, dan kan de door de stad dwalende satan ook geen adem halen.' Ik raakte wat optimistischer gestemd, doordat ik de sterftecijfers met de dag zag dalen, maar de Hodja was nog steeds gespannen als een veer en bleef er maar over doorgaan dat het eerste kamp met Köprülü samenspande en een opstand voorbereidde, niet met het oogmerk de pest tegen te houden, maar teneinde zich voor eens en altijd te ontdoen van hun tegenstanders.

Aan het einde van de eerste week viel er zowaar een aanzienlijke daling van het dodental waar te nemen, maar ook zeiden mijn berekeningen overduidelijk dat de ziekte zeker niet over een week al voorbij zou zijn. Ik mopperde tegen de Hodja, omdat hij me de eerste kalender die ik had opgesteld had laten veranderen, maar nu had híj juist hoop gekregen; hij vertelde opgewonden dat wat er allemaal over eerste minister Köprülü was gezegd, gelogen bleek. Daarop hadden de politieke vrienden van de Hodja het gerucht verspreid dat Köprülü zich juist met hen had verenigd. De Padisjah zocht, nogal geschrokken van al die ingewikkelde intriges, zijn heil bij zijn katten.

Toen de tweede week ten einde liep had de stad het benauwder gekregen van de getroffen maatregelen dan van de pest; iedere dag weer waren er minder doden te betreuren, maar dat wisten alleen de mensen die zoals wij de stand van zaken voortdurend in de gaten hielden. Er staken geruchten over hongersnood de kop op en Istanbul was een macabere, verlaten stad geworden. Omdat ik de buurt niet uitkwam, hield de Hodja me voortdurend op de hoogte. Je voelde achter al die gesloten ramen en dichte hofpoorten de radeloosheid van mensen die met de pest streden en niets anders meer van het leven verwachtten dan ziekte en dood. Zelfs in het Paleis was dit het geval: viel daar niet een kopje op de grond? en wie hoestte daar zo hard? De betweterige hofkliek was het angstzweet nu ook uitgebroken; men sprak alleen nog fluisterend en wachtte in voortdurende spanning af wat de sultan vandaag weer voor besluit zou nemen. En net als de radelozen, die zeiden dat het niet uitmaakte wát, als er maar íets gebeurde, raakten ze allemaal bij het minste of geringste over hun toeren. De Hodja liet zich door hun overspannen zenuwen meeslepen; hij had geprobeerd de sultan te vertellen dat de pest langzaam, heel langzaam wegtrok, en dat zijn voorspellingen dus uitkwamen en klopten, maar hij had niet erg veel indruk op hem kunnen maken en had zich ten slotte genoodzaakt gezien maar weer over de dieren te beginnen.

Twee dagen later had hij uit een telling die in de moskeeën was gedaan geconcludeerd dat de ziekte inderdaad aardig was teruggelopen, maar de opgewektheid van de Hodja, die vrijdag, werd niet zozeer daardoor veroorzaakt, als wel door het volgende: een stuk of wat tot wanhoop gedreven kleine handelaren waren slaags geraakt met de Janitsaren, die de wegen bewaakten; een andere groep die eveneens in de problemen was geraakt door de getroffen maatregelen, had allerlei lieden naar hun kant weten over te halen, Janitsaren, een paar eenvoudige imams die in de buurtmoskeetjes predikten en wat plundergrage landlopers en ander ongeregeld volk; zij zeiden dat de pest Allahs werk was, en dat er niets tegen ondernomen mocht worden, maar voordat de gebeurtenissen echt uit de hand begonnen te lopen was het oproer al weer de kop ingedrukt. Twintig personen werden terstond ter dood gebracht op grond van een *fetva*-oordeel, uitgesproken door de Sjeik-ul-islam*, misschien ook wel met in het achterhoofd de bedoeling de omvang van het oproer wat op te blazen. De Hodja was zo tevreden als hij van zijn leven nog niet was geweest.

De volgende avond werd de overwinning bekend gemaakt. Nu waagde in het Paleis niemand het meer het nog over opheffing van de maatregelen te hebben. De Janitsaren-commandant had, toen hij terecht stond, ook gesproken over handlangers van de opstandelingen bínnen het Paleis. De sultan was razend geworden en de kliek, die met zijn vijandigheden de Hodja zulke moeilijke dagen had bezorgd, was als een troep kuikens uiteengestoven. Van Köprülü werd gezegd dat hij van plan was harde maatregelen tegen de oproerlingen te nemen, aan wier zijde hij overigens volgens de geruchten vroeger zou hebben gestaan. De Hodja zei verheugd dat hij ook op dit front indruk op de sultan had weten te maken. De onderdrukkers van het oproer hadden om de sultan van hun goede bedoelingen te overtuigen namelijk eveneens verklaard dat de pest was afgenomen. En dat klopte nog ook. De Padisjah had toen zulke lovende woorden tegen de Hodja gesproken, als hij tot nu toe nog nooit had gebezigd. Hij had hem bovendien meegetroond om hem de apen te laten zien, die hij uit Afrika had laten komen, en die in een speciaal voor hen vervaardigde kooi zaten. Terwijl ze naar de apen stonden te kijken, die de Hodja deden walgen vanwege hun zedeloos en onbeschaamd gedrag, had de Padisjah gevraagd of deze beesten net als papegaaien konden leren praten. Daarna had hij zich tot zijn gevolg gekeerd en gezegd dat hij de Hodja van nu af aan vaker aan zijn zijde wilde zien en dat de kalender die deze had gemaakt, juist was gebleken.

Een maand later, op een vrijdag, werd de Hodja benoemd tot oppersterrenwichelaar. Maar behalve dat gebeurde er nóg iets die dag: tijdens de gang van de sultan naar het vrijdagmiddaggebed in de Aya Sofya, waaraan omdat de pest voorbij was de hele stad deelnam, liep de Hodja vlak achter hem; de maatregelen waren opgeheven, en ik bevond me langs de weg onder die kwetterende, schetterende menigte, die Allah en de Padisjah dankte en loofde. Toen de Padisjah ons op zijn paard passeerde, schreeuwden en juichten de mensen om mij heen uit alle macht; men raakte buiten zichzelf en er ontstond één deinende zee van tegen elkaar hotsende en botsende mensen. De Janitsaren duwden ons weer terug naar achteren, en even stond ik volledig vastgeklemd tussen de mensen die met een balk tegen me opgeduwd werden; toen ik me met mijn ellebogen door de menigte een weg naar voren had gebaand, kwam ik oog in oog te staan met de Hodja, die tevreden en gelukkig vier, vijf passen van mij vandaan liep. Maar hij liet zijn ogen langs mij glijden, alsof hij mij niet had herkend. In deze toestand van algemene chaos liet ik me ineens als een dwaas meeslepen door mijn enthousiasme; ik was ervan overtuigd dat de Hodja me op dat moment écht niet had gezien, en uit alle macht schreeuwde en riep ik naar hem, ik wilde per se dat hij op de hoogte was van mijn aanwezigheid daar en als hij me nu maar zag, dan zou hij me vast en zeker uit de menigte vissen en redden, en kon ik ook deelnemen aan die blijde optocht van hen die de overwinning en de macht aan hun zijde hadden! Ik wilde dit niet om met alle geweld in de overwinning te kunnen delen, of een beloning te krijgen voor alles wat ik had gedaan; nee, er was iets heel anders dat mij dreef: ik moest daar gewoon zijn, want ík was de Hodja! Het was precies als in die angstdromen, die ik zo vaak had gehad: ik was afgescheiden van mijn zelf, waar ik van buitenaf naar keek; dat ik mijzelf van een afstandje kon gadeslaan, betekende dat ik iemand anders was; en ik wilde niet weten wie die ander was, wiens identiteit mij had omhuld; toen ik met angst naar mijzelf keek, die daar aan mij voorbij ging zonder me te herkennen, wilde ik me alleen maar zo spoedig mogelijk bij hem voegen. Maar een beest van een soldaat duwde me uit alle macht terug, de menigte in.

8

In de weken na het einde van de epidemie bracht de Hodja het niet alleen tot oppersterrenwichelaar, ook kreeg hij een nauwere band met de sultan dan we in al die jaren van wachten hadden durven hopen. De grootvizier had zich na de kleine en mislukte poging tot opstand, tegenover de moeder van de Padisjah laten ontvallen, dat het nu toch de hoogste tijd werd om zich te ontdoen van alle charlatans die zich rond de Padisjah hadden verzameld; want volgens hem zag nu iedereen, ook de kooplui en gildemeesters en de Janitsaren, die kliek van betweters met hun loze praatjes als hoofdverantwoordelijke voor de rampen. En toen daarop de hele aanhang van de voormalige oppersterrenwichelaar Sitki Efendi, die naar men zei de hand in het komplot had gehad, door verbanning dan wel overplaatsing uit het Paleis was verdreven, kwam ook hun werk onder verantwoordelijkheid van de Hodja.

Hij ging nu iedere dag naar het Paleis, waar de Padisjah op dat moment residentie hield, en praatte met hem. De Padisjah reserveerde hier geregeld tijd voor. Bij thuiskomst vertelde hij me altijd opgewonden en triomfantelijk alles wat er voorgevallen was: iedere morgen begon hij met aan de Padisjah de droom uit te leggen, die deze 's nachts had gezien. Onder de taken die hij had overgenomen, was het misschien wel deze waar hij het meeste van hield. Op een ochtend dat de Padisjah spijtig had bekend helaas niet te hebben gedroomd, had de Hodja hem voorgesteld dan maar een droom van iemand anders uit te leggen; dit idee sprak de sultan aan en prikkelde zijn nieuwsgierigheid, en de lijfwacht had onmiddellijk een goede dromer opgespoord en hem bij de sultan gebracht; en zo was het een gewoonte geworden, waar niet aan te tornen viel, om iedere morgen een droom uit te leggen. In de tijd die hun restte, wandelden ze over de binnenhoven en door de lommerrijke tuinen met de grote platanen en judasbomen, of maakten ze zo nu en dan een boottochtje over de Bosporus, en babbelden, hoe kan het anders, over de geliefde dieren van de sultan en over onze fantasiedieren. Maar de Hodja sneed ook wel eens een ander onderwerp aan, waar hij mij altijd vol enthousiasme over vertelde. Bijvoorbeeld: wat was nu eigenlijk de oorzaak van de stromingen in de Bosporus? Wat was er in het ordentelijke leven van mieren de moeite waard om te leren kennen en te doorgronden? Waar kreeg de magneet, behalve van Allah, zijn kracht vandaan? Maakte het uit of de sterren nu zus of zo draaiden? Kon er in het leven van de ongelovigen, behalve hun heidendom, nog iets anders zijn, dat de moeite waard was om te leren kennen? Was het mogelijk een wapen te maken, waarmee we ze aan het front volledig in de pan zouden kunnen hakken en verjagen? Steevast eindigde hij met de woorden dat de sultan dit alles met belangstelling had aangehoord, en zette zich vervolgens opgewonden aan tafel om schetsen te maken voor het ontwerp van een dergelijk wapen op dure grote vellen papier. Hij maakte schetsen van lange-loopskanonnen en automatische ontstekingsmechanismen en van modellen van wapens die eruitzagen als duivelse dieren; dan riep hij mij naar de tafel en wilde dat ik getuige was van de kracht van deze fantasieën, die volgens hem het tijdstip van verwezenlijking zeer nabij waren.

Ik wilde die fantasieën wérkelijk delen met de Hodja. Misschien kwam dat wel omdat ik eigenlijk nog steeds met mijn hoofd bij de pest was, die ons die dagen vol angst en broederschap had doen beleven. Men had dan wel massaal dankzeggingen gebeden in de Aya Sofya, omdat we eindelijk van de pest-satan verlost waren, maar de ziekte was nog steeds niet helemaal overwonnen. Terwijl de Hodja 's ochtends naar het Paleis van de sultan snelde, ging ik nieuwsgierig de stad in en noteerde de aantallen doden, die nog steeds begraven werden vanuit de kleine buurtmoskeeën met hun enkele minaret en de met mos begroeide gebedshuizen van de armen; en ik wenste vanuit een diepe innerlijke aandrang, waarvan ik de oorzaak niet echt goed kon begrijpen, dat de ziekte de stad en ons niet zou verlaten.

Wanneer de Hodja het tegen mij had over zijn overwinning, of over hoe hij de Padisjah had geïmponeerd, vertelde ik hem op mijn beurt, dat de ziekte de stad nog niet had verlaten, en dat deze best wel eens opnieuw zou kunnen oplaaien nu de voorzorgsmaatregelen opgeheven waren. Dan beval hij me woedend te zwijgen en zei dat ik gewoon jaloers was op zijn overwinning. Ik gaf hem gelijk: het wás een overwinning, dat hij oppersterrenwichelaar was geworden, en dat de Padisjah hem iedere morgen zijn dromen vertelde, en ook dat hij erin was geslaagd de Padisjah, niettegenstaande de hele domme hofkliek om hem heen, naar zich te doen luisteren; maar, waarom praatte hij erover alsof het allemaal zuiver en alleen zíjn overwinning was? Het leek of hij vergeten was, dat de maatregelen tegen de pest door míj waren voorgesteld, en dat de kalender die, al was hij dan niet helemaal precies uitgekomen, toch als juist werd beschouwd, door míj was opgesteld; en wat mij nog meer kwetste, was dat hij zich alleen scheen te herinneren dat ik naar het eiland was gegaan, en niet hoe hij mij in paniek daar ineens hals over kop had weggehaald.

Misschien had hij gelijk, misschien kon wat ik voelde inderdaad jaloezie worden genoemd, maar, wat hij niet in de gaten had, was dat dit een broederlijke jaloezie was. Hij móest dat toch begrijpen! Als ik hem daarom eraan herinnerde hoe wij in de dagen vóór de pest, als twee vrijgezellen die de beklemming van hun eenzame nachten willen vergeten, aan weerszijden van de tafel waren gaan zitten, als ik hem eraan herinnerde hoe wij, nu eens hij, dan weer ik, soms door angsten waren bevangen, maar wat we al niet hadden geleerd van deze angsten, en hoe ik op het eiland, moederziel alleen, zo intens naar die nachten had terugverlangd, dan hoorde hij deze verhalen met minachting aan, alsof hij getuige was van valsspelerij van mij in een spel waar hij nooit aan had meegedaan, en hij gaf mij geen enkele hoop, liet met geen enkel woord merken dat wij nog ooit zouden kunnen terugkeren naar die dagen van broederschap.

Buurt na buurt steeds weer doorkruisend, moest ik ten slotte wel concluderen dat de pest, ondanks de opheffing van de maatregelen, echt langzaam maar zeker uit de stad wegtrok, alsof hij geen schaduw wilde werpen op wat de Hodja 'de overwinning' noemde. Soms vroeg ik me verbaasd af waarom me ineens zo'n gevoel van eenzaamheid overviel, als ik eraan dacht dat de zwarte schrik van de dood uit ons midden zou verdwijnen. Soms wenste ik hevig dat wij over dít soort dingen zouden praten, in plaats van over de dromen van de Padisjah of over de plannen waarover de Hodja hem nu weer had verteld. Ik was zelfs meer dan bereid samen met hem voor die angstaanjagende spiegel – die hij overigens van de muur had gehaald – te gaan staan, ook al zou hij me weer zo verschrikkelijk de stuipen op het lijf jagen! Maar de afkeer van mij van de Hodja, echt of gespeeld, duurde nu al te lang, erger nog, af en toe verdacht ik hem er zelfs van, dat hij zich er niet eens toe kon zetten om afkeer van me te hebben. Soms zei ik, om hem terug te lokken naar ons oude gelukkige leven, dat we toch weer eens samen aan tafel moesten gaan zitten. Om hem het goede voorbeeld te geven, probeerde ik zelf een paar keer weer wat vellen vol te schrijven; maar wanneer ik die bladzijden aan hem begon voor te lezen, die bol stonden van angst voor de pest, van door de pest gevoed verlangen om kwaad te stichten, en van mijn slechte daden, waar ik indertijd halverwege in was blijven steken, dan luisterde hij zelfs niet eens. Met een kracht die hij misschien nog meer uit mijn radeloosheid dan uit zijn triomf putte, zei hij zonder er doekjes om te winden, dat het allemaal niets anders was dan gebeuzel, dat had hij indertijd ook al in de gaten gehad, maar toen had hij het spel uit verveling meegespeeld, om te zien waar het toe zou leiden, en ook wel een beetje om mij uit te proberen. Die dag dat ik ervandoor was gegaan omdat ik dacht dat hij ten slachtoffer was gevallen aan de pest, had hij echter goed begrepen wat ik er voor eentje was. Ik was zondig! Je kon de mensheid onderverdelen in twee categorieën: de rechtvaardigen, zoals hij, en de zondaars, zoals ik.

Ik reageerde niet en trachtte zijn woorden toe te schrijven aan de roes der overwinning. Mijn geest was helder en scherp als vanouds, maar ik begreep wel, toen ik merkte dat de meest onbeduidende dagelijkse voorvalletjes mij al driftig maakten, dat er nog maar íets hoefde te gebeuren of de stoppen zouden doorslaan. Het was alsof ik er alleen nog aan twijfelde welke richting ik de Hodja op zou leiden, áls ik eenmaal op zijn provocerende woorden ging reageren, waar ik hem toe aan zou zetten. In de dagen die ik op het eiland Heybeli had doorgebracht, toen ik van hem was weggevlucht, had ik al gemerkt dat mijn levensdoel steeds vager was geworden. Als ik nu naar Venetië terugkeerde, wat zou er dan gebeuren? Al lange tijd had ik mij er in gedachten bij neergelegd, dat mijn moeder in deze vijftien jaar wel gestorven zou zijn en mijn verloofde getrouwd, en geheel zou opgaan in man en kinderen; ik voelde nauwelijks meer aandrang over hen na te denken, en in mijn dromen verschenen ze ook steeds spaarzamer, bovendien zag ik mijzelf ook niet meer in die dromen in Venetië te midden van hen, zoals in die eerste jaren steeds het geval was geweest, ik zag hen, als ik over hen droomde, bij ons in Istanbul. Ik wist dat ik bij een terugkeer in Venetië het daar indertijd halverwege achtergelaten leven, niet meer vanaf het punt waar ik gebleven was, zou kunnen voortzetten. Hooguit zou ik een ander leven kunnen beginnen. Maar, buiten de paar boeken, die ik van plan was ooit over de Turken en over mijn jaren in slavernij te schrijven, wond de gedachte aan een dergelijk leven mij ook niet meer op.

Soms dacht ik dat de Hodja mij minachtte omdat hij mijn ontheemding en doelloosheid bespeurde en mijn zwakheid doorhad, dan weer betwijfelde ik of hij er ook maar iets van opmerkte. Hij was iedere dag weer dronken van de verhalen die hij de Padisjah had verteld, en dronken van zijn fantasieën over dat ongelooflijke wapen dat hij tot in de kleinste details aan het uitdenken was en waarmee hij de sultan absoluut zou imponeren, daar was hij zeker van. Hij was bovendien nog steeds zo dronken van zijn overwinning, dat hij waarschijnlijk geen flauwe notie had van wat er zoal in míjn hoofd omging. Wanneer ik met afgunst de gelukzaligheid op het gezicht van de Hodja zag, die zo boordevol was van zichzelf, betrapte ik mijzelf er geregeld op dat ik ondanks mezelf van hem hield. Ik hield van het geforceerde enthousiasme dat hij uit zijn opgeklopte overwinning putte, ik hield van zijn plannen die almaar bleven opborrelen, ik hield van de manier waarop hij naar zijn hand keek, als hij zei dat hij de Padisjah geheel in zijn hand zou hebben. Al wilde ik het mezelf niet echt bekennen, toch werd ik soms door een gevoel bevangen, wanneer ik zijn gebaren en dagelijkse handelingen gadesloeg, als keek ik naar mezelf. Soms kun je in het gedrag van een kind of jongeman ineens jezelf zien op die leeftijd, en je volgt hem met des te meer belangstelling en genegenheid: mijn vrees en mijn nieuwsgierigheid leken daarop. Vaak moest ik eraan denken hoe hij me in de nek had gegrepen en had gezegd: 'Ik ben jou geworden', maar altijd wanneer ik hem aan die dagen herinnerde, legde de Hodja mij het zwijgen op, en herhaalde nog eens woord voor woord wat hij die dag nu weer tegen de sultan had gezegd teneinde hem in dat ongelooflijke wapen te laten geloven, óf hij deed in geuren en kleuren verslag van de manier waarop hij de Padisjah tijdens de droomuitleg van die ochtend had aangepakt.

Ik wilde wel dat ik ook kon geloven in die successen die hij zo heerlijk aandikte. Soms gebeurde het dat ik, meegesleept door mijn grenzeloze fantasie, zag hoe ik gelukkig en wel daadwerkelijk zijn plaats had ingenomen. Dan hield ik nog meer van ons, van hem en van mijzelf, en terwijl ik me als een idioot die naar een mooi sprookje luistert, met open mond op zijn verhalen liet wegdrijven, was ik ervan overtuigd dat hij sprak over die mooie dagen in de toekomst alsof dit ook voor mij gold.

Zo voelde ik me ook wanneer ik meedeed met het interpreteren van de dromen van de sultan! De Hodja had besloten de nu eenentwintigjarige Padisjah aan te sporen de staatsmacht steviger in handen te nemen. En dus vertelde hij hem dat de eenzame in galop voortsnellende paarden, die de Padisjah zo vaak in zijn dromen zag, ongelukkig waren omdat zij geen meester hadden, en dat de wolven die met hun verraderlijke tanden hun prooi bij de keel grepen, wel gelukkig waren, omdat zij zélf deden, wat gedaan moest worden; dat de wenende oude vrouwen en huilende blinde meisjes en de bomen die in de sombere regen in één keer al hun blad verloren, in wezen hem om hulp riepen; en dat de heilige spinnen en de trotse valken verwezen naar de deugden der eenzaamheid. Onze bedoeling was, dat de Padisjah als hij eenmaal de teugels stevig in handen zou hebben, ook belang zou gaan stellen in de wetenschappelijke kennis die we ons eigen gemaakt hadden. Om dat doel te bereiken gebruikten wij met name zijn nachtmerries. Als de Padisjah, zoals de meeste jachtliefhebbers, in de nacht na een lange, vermoeiende jachtpartij droomde dat hij het zélf was op wie gejaagd werd; of, als hij in zijn angst de troon te verliezen, in zijn droom zichzelf als kleine jongen op zijn eigen troon zag zitten, dan legde de Hodja hem uit dat hij op zijn troon altijd jong zou blijven, maar dat, wilde hij ontsnappen aan de hinderlagen van onze nooit slapende vijanden, hij op zijn minst moest zorgen dat hij net zulke superieure wapens had als zij. En toen de Padisjah droomde dat de twee helften van een ezel, die zijn grootvader sultan Murat om zijn spierkracht te bewijzen in één zwaardslag in tweeën had gespleten, uit elkaar gejaagd ieder een kant op waren gerend; toen hij droomde dat een heks, die niemand anders dan zijn uit de dood herrezen grootmoeder Kösem Sultan kon zijn, poedelnaakt op hem af was gekomen, om hem en zijn moeder te wurgen; en hij droomde dat er in plaats van platanen op het Hippodroom vijgebomen stonden en dat daar in plaats van vijgen, bloedende lijken aan hingen; en toen hij droomde dat boze mannen, met gezichten die op zíjn gezicht leken, hem najoegen, om hem in een jutezak te stoppen en te laten stikken; of toen hij droomde dat er een leger schildpadden, dat bij Üsküdar de zee was ingegaan, naar het Paleis optrok, met kaarsen op hun schilden, waarvan de vlammen ondanks de wind niet doofden; ja, iedere keer weer na zo'n droom, zeiden wij tegen elkaar, hoe onterecht het was wat de mensen over hem zeiden, namelijk dat hij de staatszaken liet liggen, en dat hij aan niets anders dacht dan de jacht en zijn dieren. Al deze dromen, die ik allemaal geduldig en met veel genoegen in een schrift opschreef en categoriseerde, probeerden we steeds weer uit te leggen in het voordeel van het belang van de wetenschap en de behoefte aan een nieuw ongelooflijk wapen.

Volgens de Hodja groeide onze invloed op hem langzaam maar zeker, maar na een tijdje geloofde ik er niet meer in. Na de nachten waarin hij er vol enthousiasme over had gefantaseerd hoe hij van de sultan de opdracht zou krijgen voor het oprichten van een sterrenwacht of een wetenschappelijk laboratorium en voor het ontwikkelen van een nieuw wapen, gingen er maanden voorbij zonder dat hij erin slaagde over deze onderwerpen, al was het maar voor één keer, serieus met de sultan te praten. Het overlijden van Köprülü, een jaar na de pest, gaf de Hodja weer een argument voor zijn ongegronde hoop: de sultan had zichzelf er natuurlijk steeds van weerhouden uit te voeren wat hij in zijn hoofd had, omdat hij bang was geweest voor de kracht en de persoonlijkheid van Köprülü. Maar nu was de grootvizier dood en zijn plaats ingenomen door zijn zoon die lang zo krachtig niet was als de vader, en de tijd leek rijp voor moedige besluiten van de Padisjah.

De daaropvolgende drie jaar brachten wij door met wachten op die moedige besluiten. Wat mij uiteindelijk het meest verbaasde, was niet de passiviteit van de sultan, die langzaam maar zeker aan het verdwazen was met zijn dromen en zijn jachtpartijen, nee, wat mij verbaasde was dat de Hodja nog steeds zijn hoop op hem gevestigd hield. Deze jaren wachtte ik voortdurend op de dag dat hij eindelijk mijn houding over zou nemen en al zijn hoop zou verliezen! En al had hij het op den duur niet meer zo vaak als vroeger over wat hij 'de overwinning' noemde, en al kon hij ook niet meer het enthousiasme opbrengen dat hij de eerste maanden na de pest had gehad, het lukte hem toch nog steeds zijn fantasie levend te houden over de dag dat hij de sultan zou kunnen overhalen tot dat zogenaamde 'grote project' van hem.

Iedere keer weer vond hij een nieuw excuus voor hem. Natuurlijk als de sultan zo kort na de grote brand, die Istanbul had geteisterd en in de as had gelegd, veel geld zou steken in grote projecten, dan was dat alleen maar koren op de molen van zijn vijanden, die zijn broer op de troon wilden zetten; óf het was: natuurlijk kon de Padisjah nu niets doen, want het leger was op veldtocht naar Hongarije; en het jaar daarop kon het niet, want men had een aanval tegen de Duitsers ingezet; of weer later was het de bouw van de Yeni Valide Moskee aan de oever van de Gouden Hoorn die kapitalen verslond en zijn plannen in de weg stond – de Hodja ging er vaak samen met de Padisjah en zijn moeder Turhan Sultan kijken; en ten slotte, natuurlijk, waren er de nooit ophoudende jachtpartijen, waar ik zelf overigens niet aan deelnam. Terwijl ik thuis de Hodja's terugkeer van de jacht afwachtte, deed ik mijn best hem in zijn fantasieën te volgen en bladerde ik loom en lui wegdoezelend door de boeken, op zoek naar sprankelende ideeën voor wat hij 'het grote project' of ook wel 'de wetenschap' noemde.

Ten slotte kon zelfs dat fantaseren over die plannen me niet meer amuseren en ik maakte me geen enkele illusie meer over hoe het resultaat eruit zou zien, mochten ze ooit werkelijkheid worden. De Hodja wist net zo goed als ik dat de dingen die wij in de eerste jaren dat we elkaar kenden hadden uitgedacht op het gebied van astronomie, aardrijkskunde, of ook de natuurwetenschappen, geen enkel houvast meer zouden bieden; de klokken, instrumenten, modellen lagen al sinds lange tijd verroest en vergeten in een hoek. We hadden alles almaar voor ons uit geschoven tot de dag dat we ons konden gaan zetten aan de uitvoering van dat vage werk dat hij 'wetenschap' noemde; dat grote project, dat ons mensen hier van de ondergang zou redden, bestond feitelijk alleen maar in onze verbeelding. Om mijn geloof in deze bloedeloze fantasie die me nooit echt had kunnen overtuigen enigszins nieuw leven in te blazen en één lijn te kunnen trekken met de Hodja, probeerde ik me soms in hem te verplaatsen en dan met zijn ogen te kijken naar de bladzijden die ik omsloeg, of naar de toevallige gedachten, die in mij opkwamen. Als hij terugkeerde van de jacht had ik altijd wel een nieuwe waarheid ontdekt, op het gebied waarover ik me op zijn verzoek het hoofd had gebroken, en dan deed ik alsof wij in staat zouden zijn alles anders te maken, als we hier maar van uitgingen. Of ik nu zei: 'Het verschijnsel van eb en vloed van de zee heeft een oorzakelijk verband met de temperatuur van de rivieren die er in uitstromen'; óf: 'De pest wordt overgebracht door kleine deeltjes die in de lucht zitten, en als het weer verandert verdwijnt de pest ook', óf: 'Het is mogelijk een groot wapen te maken met een lange loop en wielen, waarmee we iedere tegenstander kunnen verjagen', óf: 'De aarde draait om de zon, en de zon weer om de maan': steeds gaf de Hodja, die zich intussen van zijn bestofte jachtkleding ontdeed, hetzelfde antwoord dat mij ondanks mezelf vol liefde liet glimlachen: 'En onze domkoppen hebben zelfs niet de flauwste notie van deze waarheid!'

Later kwam hij in een crisis terecht, die mij door de ernst ervan in zijn kielzog meesleurde. Hij kon niet meer ophouden over de onzinnigheid van de Padisjah om urenlang te paard achter een verdwaald zwijn aan te jagen of om tranen te vergieten over een haas die hij nota bene zelf door zijn jachthonden had laten vangen, en dan bekende hij met een zucht dat alles wat hij de Padisjah vertelde in feite het ene oor in en het andere oor uit ging en hij herhaalde met afkeer: wanneer zouden die stomkoppen eindelijk eens in de gaten krijgen hoe de werkelijkheid echt in elkaar zat? Was het toeval of moest het zo zijn dat zulke dommeriken elkaar vonden? Waarom waren ze zo dom?

En ongemerkt kreeg hij opnieuw sterk de behoefte zich te zetten aan wat hij 'de wetenschap' noemde. Dit keer om erachter te komen wat er toch in die hoofden van hen zat. Omdat het me die mooie dagen voor de geest bracht dat we aan één tafel hadden gezeten, en elkaar weliswaar uit de grond van ons hart gehaat hadden, maar tegelijk ook zó één waren geweest, was ik wel enthousiast over dit plan, maar al na de eerste pogingen begrepen we beiden dat het niet meer was zoals het vroeger was geweest.

Opeens lukte het me niet meer om door te bijten, vooral ook omdat ik niet meer wist waarom en in welke richting ik hem zou dwingen of sturen. Maar belangrijker nog was, wat ik voelde: ik voelde me alsof zijn leed en zijn nederlagen, míjn pijn en nederlagen waren. Op een keer observeerde ik hem, nadat ik hem met overdreven voorbeelden de domheid van de mensen hier in herinnering had gebracht en had gesuggereerd dat, alhoewel ik het zelf niet geloofde, híj in feite, net zo hard als zij, gedoemd was het onderspit te delven; en wat ik toen zag was dit: hij ging als altijd fel tegen me in, zeker, zei dat een nederlaag afgewend kon worden, als wij maar eerder dan zij handelden en ons geheel gaven aan deze zaak; bijvoorbeeld, zouden wij erin slagen dat wapenproject te realiseren, dan zouden we de riviervloed die maar tegen ons aan klotste, over ons heen kolkte en ons weer terug naar achteren wierp, toch in de door ons gewenste richting kunnen doen afbuigen; en hij maakte me ook wel blij door niet van zíjn plannen, maar van 'onze plannen' te spreken, zoals altijd als hij het niet meer zag zitten; dat allemaal wel, maar het was duidelijk: het schrikbeeld van een naderende en onontkoombare nederlaag kreeg hem nu ook in zijn greep: voor mij was hij als een kind dat alleen op de wereld is, ik hield van zijn woede en van zijn verdriet die mij aan de eerste jaren van mijn slavernij deden denken, en ik wilde zo zijn als hij. Wanneer hij in de kamer liep te ijsberen of bleef staan kijken naar de vieze modderige straat in de dichte regen of naar de bleke trillende lichtjes, die nog brandden in een paar huizen aan de oever van de Gouden Hoorn, als om daarin een reden te vinden voor hernieuwde hoop, dan stelde ik me voor dat degene die daar zo geagiteerd in de kamer rondliep niet de Hodja was, maar ik zelf, in mijn jeugd. Eens had de persoon die ik was, mij verlaten en was van mij weggegaan, en ik, die ik die in een hoekje zat te doezelen, imiteerde hem, als om de opwinding die ik verloren had, terug te vinden.

Ik had overigens zo langzamerhand wel schoon genoeg van zijn steeds maar weer kunstmatig opgeklopte aanvallen van opwinding. Nadat de Hodja oppersterrenwichelaar was geworden, waren zijn landerijen in Gebze uitgebreid, en daarmee waren onze inkomsten gegroeid. Het was eigenlijk helemaal niet nodig dat hij zich, buiten wat gebabbel met de Padisjah, nog met ander werk bezig hield. Af en toe gingen we naar Gebze en reisden de krakkemikkige molens en de dorpen af, waar we begroet werden door woeste herdershonden. We inspecteerden er de opbrengsten en probeerden erachter te komen hoe erg onze rentmeester, de Kâhya, met de papieren geknoeid had. We schreven, soms met een glimlach, maar meestal zuchtend van verveling, onderhoudende verhandelingen voor de Padisjah en iets anders deden we niet. Als ik er niet op aandrong, dan zou de Hodja misschien zelfs niet eens meer de feestjes laten organiseren, die toch altijd goed waren voor een aangename avond en heerlijk geurende vrouwen met wie we na afloop het bed deelden.

Het was duidelijk dat hij het zich allemaal anders voorgesteld had en wat hem nog het meest deprimeerde was de veldtocht naar Duitsland, de vesting Kreta, en het feit dat de Padisjah, die nu ineens wel durfde omdat de legers en de generaals voor die tochten Istanbul onbeheerd hadden achtergelaten en zijn moeder in haar eentje toch geen gezag over hem had, gewoon zijn hele oude hofkliek weer om zich heen verzamelde, al die betweters, narren en hielenlikkers die indertijd van het paleis waren verjaagd. Om zich te onderscheiden van die charlatans van wie hij walgde en om hen zijn superioriteit te doen accepteren, was de Hodja vastbesloten hen te mijden, maar op aandringen van de Padisjah kon hij er toch niet onderuit een paar keer te moeten luisteren naar waar zij over praatten en discussieerden. Kunnen dieren een geest hebben? Welke levende wezens hebben een geest? Welke gaan naar de hemel, welke naar de hel? Zijn mosselen vrouwtjes of mannetjes? Is de zon die iedere ochtend opkomt steeds een nieuwe zon, of gaat de oude zon die 's avonds onder is gegaan, achterom langs en steekt dan 's ochtends aan de andere kant weer zijn kop op? Door die bijeenkomsten, waar dergelijke dingen werden besproken, werd hem wel heel duidelijk dat hij zijn hoop op een glorieuze toekomst beter kon opgeven als we nu niet echt iets ondernamen; hij zou onherroepelijk zijn greep op de Padisjah verliezen.

Ik viel hem verheugd bij, omdat hij weer van 'onze' plannen, 'onze' toekomst sprak. Om te begrijpen hoe de geest van de Padisjah werkte, legden we op een keer alles bij elkaar, de schriften die ik jarenlang had bijgehouden met alle dromen, en onze herinneringen. Zoals men na het omkeren van de laden van een kast doet met de hoop frutsels en prutsels die dan te voorschijn komt, zo probeerden wij de inventaris op te maken van de hersenen van de Padisjah. Wat wij daaruit moesten concluderen was allerminst hoopgevend: de Hodja kon het dan nog wel steeds hebben over die ongelooflijke wapens die ons zouden redden, of over de geheimen in het binnenste van ons verstand die zo spoedig mogelijk ontsluierd moesten worden, hij kon toch echt niet langer meer doen alsof hij zich niet bewust was van de steeds duidelijker wordende dreiging van een catastrofale ineenstorting. Over dit onderwerp praatten we maandenlang tot vervelens toe.

Betekende die ineenstorting dat het imperium de landen, die nu in onze handen waren, één voor één zou verliezen? We spreidden onze landkaarten op tafel uit en stelden gelaten vast welk land eerst en welke bergen en welke rivieren ons vervolgens zouden ontvallen. Of, als het dat niet was, betekende de ineenstorting dat alles, mensen, levensopvatting, moraal een complete gedaanteverwisseling zou ondergaan? En we stelden ons voor, hoe op een morgen alle Istanbulers, stuk voor stuk als een ander mens van hun warme bed zouden opstaan: ze konden niet bedenken hoe ze zich in hun kleren moesten steken, ze konden zich niet herinneren waartoe de minaretten dienden. Misschien ook betekende ineenstorting: het zien van de superioriteit van de anderen en proberen op hen te gaan lijken. Dat vonden we het moment om iets van mijn leven in Venetië op te halen, waarna we fantaseerden hoe bepaalde kennissen van ons hier, met een hoed op het hoofd en de benen in pantalon gestoken, mijn herinneringen zélf zouden beleven.

We besloten deze fantasieën – het was overigens verbazingwekkend hoe snel de tijd voorbijvloog als wij ons daaraan overgaven – aan de Padisjah aan te bieden, het was onze laatste strohalm. Misschien zouden al deze tonelen van verval, bezield door de kleuren van onze fantasie, hem eindelijk in paniek brengen, dachten we. En zo vulden wij in stille en donkere nachten een heel boek met de produkten van onze fantasieën over ondergang en afbraak, die wij maandenlang met een triest en vertwijfeld plezier hadden verzonnen. Het was een en al ellende: bedrukte, arme drommels, modderige wegen, half affe bouwwerken, lugubere donkere straatjes, overal mensen die, opdat alles maar weer als vroeger mocht zijn, gebeden zeiden die ze zelf niet begrepen, stumpers van vaders en klagende moeders, machines die niet werkten, in andere landen gemaakte ongeluksdingen, die zelfs niet lang genoeg leefden om hun gebruiksaanwijzing te kunnen begrijpen, jammeraars die klaagzangen aanhieven op de goede oude tijd, straathonden, die vel over been rondzwierven, dorpelingen zonder land, werklozen die maar wat rondhingen in de steden, analfabete moslims in pantalon, en dan nog eens tal van oorlogen die in een nederlaag eindigden. In een ander hoofdstuk van het boek stopten we mijn verbleekte herinneringen: een paar scènes van gelukkige en leerzame gebeurtenissen die mij waren overkomen tijdens mijn schooljaren en toen ik met mijn vader en moeder en de andere kinderen in Venetië woonde: immers, zo leefden de anderen, die ons zouden overwinnen, en wij moesten om ze vóór te zijn doen als zij! Het laatste hoofdstuk dat door onze linkshandige kalligraaf in het net was overgeschreven, sloot dan ten slotte af met een sober gedicht, dat als thema had: de menselijke geest als volgestouwde kast; deze lievelingsmetafoor van de Hodja zou beschouwd kunnen worden als toegangssleutel tot de ingewikkelde geheimen van het zwarte raadsel van onze hersenen. En zo eindigde het beste van al de verhandelingen en boeken die de Hodja en ik samen hebben geschreven met het fijne waas van dit stille, trotse gedicht.

Een maand nadat hij het boek aan de sultan had overhandigd, kreeg de Hodja de opdracht om in vredesnaam dat verduvelde wapen maar te gaan maken. We waren totaal in de war, maar konden met geen mogelijkheid uitmaken in hoeverre we dit succes aan ons boek te danken hadden.

9

'Wel, maak dat ongelooflijke wapen, dat onze vijanden zal verdelgen dan maar, we zijn benieuwd...,' sprak de sultan; misschien om de Hodja uit te testen, misschien ook had hij een droom gehad die hij de Hodja niet verteld had, of misschien wilde hij alleen zijn moeder en de generaals die hem op zijn nek zaten, eens even laten zien dat de betweters die hij om zich heen had verzameld toch wel ergens goed voor waren. Het kon zijn dat hij dacht dat de Hodja na de pest nog wel een ander mirakel voor elkaar kon krijgen, misschien ook was hij echt onder de indruk van de catastrofe-fantasieen, waarmee we ons boek hadden gevuld, of werd hij, nog meer dan van een mogelijk op handen zijnde ineenstorting, zenuwachtig van het schrikbeeld dat degenen die zijn broer op zijn plaats wilden hebben, hem na zijn militaire fiasco's van de troon zouden stoten. Dit alles bedachten wij, terwijl we met steeds groter wordende verbijstering aan het rekenen sloegen, en de schrikwekkende bedragen berekenden, die we los moesten zien te krijgen van de ons schatplichtige dorpen, herbergen en olijfboomgaarden, wilden we het wapen van de Padisjah werkelijk kunnen ontwikkelen.

Ten slotte zei de Hodja dat het enige waar we echt verbijsterd over moesten zijn, onze verbijstering zelf was: al die verhalen, die we jarenlang aan de sultan hadden verteld, al die verhandelingen en boeken die we hadden geschreven, was dat alles dan niet waar? Terwijl we daar toch altijd heilig in geloofd hadden, twijfelden we dan nu ineens? En er was nog dit: de Padisjah was echt geïnteresseerd geraakt in wat er allemaal omging in de duisternis van onze hersenen. En, zo vroeg de Hodja me opgewonden: was dit dan niet de overwinning waar we jarenlang op hadden gewacht?

En zo was het; bovendien werkten we dit keer echt samen en

deelden we samen in de overwinning, en al stelde ik niet zoveel belang in het eindresultaat als hij, ik was wel gelukkig. De nu volgende zes jaar, waarin we aan de ontwikkeling van het wapen werkten, werden onze gevaarlijkste jaren. We waren in gevaar, en dat niet omdat we met kruit werkten, maar omdat we de nijd en jaloezie van onze persoonlijke vijanden naar ons toe hadden getrokken; omdat iedereen met groeiend ongeduld wachtte op onze overwinning dan wel nederlaag, en wij zelf eveneens met angst op die dingen wachtten.

Eerst brachten we een winter door met werken aan tafel, wat nutteloos bestede tijd was. We waren opgewonden, we waren vol enthousiasme, maar hadden niets anders in handen dan de gedachte aan het wapen en enkele vage en nog vormeloze details die zich in ons hoofd genesteld hadden, als we hadden zitten fantaseren over hoe het wapen de vijand zou opjagen en verdrijven. Later besloten we de open lucht in te gaan om met kruit te experimenteren. En het was weer net als in de weken dat we samen aan de voorbereidingen voor het grote vuurwerk werkten, alleen nu bij daglicht; terwijl wij ons hadden teruggetrokken in de koele schaduw onder de hoge bomen, ontstaken onze mannen in de verte de verschillende mengsels, die wij hadden samengesteld. Uit alle uithoeken in Istanbul kwamen nieuwsgierigen af op dat schouwspel van al die verschillende soorten knallen en al die kleuren rook. Rond het veld, waarop onze tenten, schietschijven, doelen, en de speciaal voor ons gegoten kanonnen en lange lopen stonden, en waar de toeschouwers elkaar verdrongen, leek het na verloop van tijd wel één groot feest. Op een dag aan het einde van de zomer kwam ook de sultan onverwachts een kijkje nemen.

We maakten er voor hem een speciale demonstratie van, waarbij we hemel en aarde deden kreunen, en we lieten hem letterlijk alles zien, álle materialen en onderdelen, van kogelhulzen voor de aangestampte kruitmengsels, kanonskogels en nieuwe kanonnen tot de nog niet uitgevoerde matrijsontwerpen voor lange lopen en schetsen van automatische ontstekingsmechanismen aan toe. Maar meer nog dan in al deze dingen, was de Padisjah geïnteresseerd in mij. Eerst had de Hodja mij uit zijn buurt proberen te houden, maar toen de demonstratie begon en de Padisjah zag, dat ik, net zo goed als de Hodja, bevelen uitdeelde, en dat onze mannen evenveel aan mij vroegen als aan hem, was hij nieuwsgierig geworden.

Toen ik dan, na vijftien jaar, voor de tweede keer voor de Padisjah stond, keek hij naar mij alsof ik iemand was die hij vroeger had gekend, maar dat hem maar niet te binnen wilde schieten wie ook weer precies; zoals iemand die met de ogen dicht probeert te raden welk fruit hij in zijn handen heeft, alleen door het te betasten. Ik kuste de zoom van zijn kleed. Toen hij vernam dat ik hier al twintig jaar was, maar nog steeds geen moslim was geworden, werd hij niet boos. Zijn geest was aan iets anders blijven haken: 'Twintig jaar dus?' zei hij. 'Eigenaardig!' Even later stelde hij me plotseling de volgende vraag: 'Leer jíj hem dat allemaal?' Hij leek echter niet nieuwsgierig naar het antwoord want hij liep abrupt weg, achter zijn mooie schimmel aan, die onze bedompte, naar kruit en salpeter stinkende tent uit was gelopen; maar opeens stond hij stil, draaide zich om, naar ons tweeën–we stonden op dat moment toevallig net pal naast elkaar–en lachte even alsof hij een van Allahs verbazingwekkende wonderen zag, bedoeld om de trots van het mensenkind te breken en hem zijn onzinnigheid in te peperen; het soort wonder als een dwerg bijvoorbeeld, waaraan behalve het formaat geen mankementje te vinden is, of een tweeling, die als twee druppels water op elkaar lijkt.

Die nacht liet ik mijn gedachten over hem de vrije loop, maar niet op de manier zoals de Hodja graag had gezien. De Hodja praatte nog altijd vol haat over hem, maar ik, ik had begrepen dat ik hem nooit zou kunnen haten, nooit zou kunnen minachten: ik had genoten van zijn kalmte, zijn innemendheid, en dat vluchtige air van een verwend kind, dat alles eruit flapt zoals het in hem opkomt. Ik wilde wel net zo zijn als hij, of vrienden met hem worden. Toen ik na een woedeuitbarsting van de Hodja in slaap probeerde te komen, dacht ik nog: de Padisjah is eigenlijk iemand die het niet verdient om voor de gek gehouden te worden, ik wilde hem wel alles vertellen. Maar wat was dat, alles?

De belangstelling bleek overigens niet maar van één kant te komen. Op een goede dag zei de Hodja met duidelijke tegenzin, dat de Padisjah hem die morgen samen met mij verwachtte, en ik ben met hem meegegaan. Het was een van die heerlijke herfstdagen die naar zee en mos ruiken. We brachten de hele ochtend door in een bos op een tapijt van afgevallen rode bladeren onder de judasbomen en platanen, bij een waterlelievijver. De sultan had zin met ons te babbelen over de rondspringende kikkers waar de vijver vol mee zat, maar de Hodja gaf nauwelijks thuis en debiteerde slechts enkele banaliteiten. De sultan vertrok geen spier bij deze brutaliteit, die ik schokkend vond, en richtte zijn aandacht gewoon des te meer op mij.

En zo vertelde ik hem lang en uitvoerig over het springmechanisme van kikkers, en hoe hun hart, als het met zorg uit het lijf is gehaald, nog lange tijd door blijft slaan, en over de spinnen en de insekten die zij eten. Om de evolutie van een eitje tot de volwassen kikker, zoals ze in de vijver rondsprongen, beter te kunnen laten zien, vroeg ik om pen en papier. Er werd een met robijnen ingelegde zilveren pennendoos aangedragen, en de Padisjah keek geïnteresseerd toe, terwijl ik met de rietpennen zat te tekenen. Ook luisterde hij met plezier naar de kikkersprookjes die ik uit mijn herinnering ophaalde, en toen de prinses de kikker moest kussen, trok hij kokhalzend een vies gezicht, maar hij leek toch in het geheel niet op de domme, onnozele knaap, waarover de Hodja het altijd had gehad. Veeleer maakte hij een volwassen indruk, een man met een goed stel hersens in zijn hoofd, die liefst vandaag nog met de studie van kunsten en wetenschap zou willen aanvangen. Aan het einde van deze mij zo dierbare uren, die de Hodja mokkend doorbracht, keek de Padisjah naar de kikkertekeningen in zijn handen en zei zoiets tegen me als: 'Dat jij de verhalen verzon, dat vermoedde ik al. Maar de tekeningen maak jij dus kennelijk ook!' Daarna vroeg hij mij naar de besnorde kikkers.

Zo begon mijn omgang met de Padisjah. Voortaan ging ik iedere keer met de Hodja mee naar het Paleis. Aanvankelijk was deze zwijgzaam en waren het vooral de Padisjah en ik die met elkaar praatten. Tijdens deze gesprekken over zijn dromen, emoties en angsten, over het verleden en de toekomst, bedacht ik hoe weinig de geestige, intelligente man tegenover mij leek op de Padisjah waarover de Hodja mij jarenlang had verteld. Uit enkele van zijn meesterlijke vragen en kleine spitsvondigheden, begreep ik dat de Padisjah, op het spoor gezet door de boeken die wij voor hem gemaakt hadden, nieuwsgierig was geworden in hoeverre de Hodja nu werkelijk de Hódja, of in hoeverre hij míj was, en andersom, in hoeverre ik nu ík was of de Hodja. Wat de laatste betreft, die was in deze periode met zijn hoofd te zeer bij de kanonnen en de lange lopen die hij probeerde te laten gieten, om zich in te laten met deze nieuwe belangstelling, die hij overigens volstrekt onbenullig vond.

Even raakte de Hodja in paniek, toen hij zes maanden nadat we met kanonnen aan de gang waren gegaan, hoorde dat de opperkanonnier zwaar geïrriteerd was geraakt door het feit dat wij onze neus in zijn zaken hadden gestoken, en dat hij een ultimatum stelde: of wíj, die met ons dwaze gedoe van 'wij gaan dat wel eens even aanpakken' de hele kanonnerij onderuit haalden, Istanbul uit, of anders híj uit zijn ambt. Maar erg hard zocht de Hodja niet naar een manier waarop hij het eens kon worden met de opperkanonnier, die toch wel bereid scheen tot een compromis. Echter, toen de Padisjah ons een maand later gebood ons op andere mogelijkheden voor de ontwikkeling van het wapen dan kanonnen te richten, was de Hodja daar niet erg rouwig om. We wisten beiden toch al dat de nieuwe kanonnen en lopen die wij hadden laten gieten, geen haar beter waren dan de oude, sinds jaar en dag gebruikte.

En hiermee waren we volgens de Hodja dan weer de zoveelste nieuwe periode binnengetreden, waarin we wéér alles van voren af aan helemaal opnieuw moesten uitdenken en opbouwen, maar daar ik aan zijn woede en fantasieën nu gewend was, was het enige dat mij nieuw voorkwam aan de hele kwestie de nadere kennismaking met de Padisjah. De Padisjah vond het ook prettig ons beter te leren kennen. Zoals een oplettende vader twee broertjes die ruzie maken over hun knikkers uit elkaar haalt, door te zeggen 'die was van jou, en die van jou', zo haalde hij ons uit elkaar door nauwlettend onze woorden en gedragingen te observeren. Die observaties die ik soms kinderachtig, maar soms ook beslist intelligent vond, maakten me nieuwsgierig: ik begon werkelijk te geloven dat de Padisjah mijn persoonlijkheid van mij losmaakte en zonder dat wij het in de gaten hadden met die van de Hodja verenigde, en andersom ook de persoonlijkheid van de Hodja met die van mij, en dat hij, gezien de treffende wijze waarop hij dit fantasieschepsel vormgaf, ons nog beter kende dan wijzelf.

Wanneer we met hem over de uitleg van zijn dromen praatten of over het nieuwe wapen, waar we in die periode overigens alleen maar in onze fantasie aan bezig waren, dan kon de Padisjah ineens stoppen, zich naar een van ons tweeën wenden en zeggen: 'Nee, dat is niet van jou, dat is zíjn idee.' Soms haalde hij ook onze gebaren uit elkaar: 'Nu kijk je als hem, kijk alsjeblieft als jezelf!' Als ik daarop vol verbazing glimlachte, voegde hij er nog aan toe: 'Ja, zo is het beter, goed zo! Hebben jullie nog nooit samen in de spiegel gekeken?' Of hij vroeg zich hardop af wie van ons, als we samen in de spiegel keken, het langst zichzelf zou kunnen blijven. Op een keer liet hij alles bij zich brengen wat we in de loop der jaren voor hem hadden geschreven en aan hem hadden gegeven, verhandelingen, dierenboeken en kalenders; hij nam alles blad voor blad door en wees erbij aan wie welk gedeelte had geschreven, en ook welk gedeelte door wie was bedacht, en dan ook nog wat niet als zichzelf, maar door zich in de ander te verplaatsen. Wat de Hodja echter tot grote woede dreef en mij betoverde en verbijsterde, dat was de imitator die de Padisjah op een keer liet komen, toen wij bij hem zaten.

De man leek noch qua gezicht noch qua lichaam op ons, hij was klein van stuk en gezet en zijn kleding was ook totaal anders dan de onze, maar toen hij begon te praten ging er een schok door me heen: het was precies of niet híj, maar de Hodja sprak. Hij boog zich voorover naar het oor van de sultan alsof hij hem een geheim vertelde, exact zoals de Hodja altijd deed, en net als deze, zette hij een zwaardere stem op als hij bedachtzaam en omslachtig op details inging. Dan plotseling raakte hij buiten adem, meegesleept door zijn opwinding over wat hij vertelde, vol gloed met zijn handen zwaaiend om de persoon tegenover zich te overtuigen, ook weer precies zoals de Hodja kon doen; maar wat hij allemaal vertelde met de nadruk en de intonatie van de Hodja, waren geen plannen met betrekking tot de sterren en ongelooflijke wapens, nee, hij somde slechts de namen van gerechten op, waarover hij in de Paleiskeuken had gehoord en van de ingrediënten en de kruiden die nodig zijn om ze te bereiden. De Padisjah glimlachte en de imitator zette zijn werk, dat de Hodja nu zichtbaar tot ontzetting bracht, voort met het opzeggen van alle pleisterplaatsen tussen Istanbul en Aleppo. Daarna verlangde de Padisjah van hem, dat hij míj zou nabootsen. De man, die me verbaasd met open mond aangaapte, was ik zelf ten voeten uit: ik was met stomheid geslagen! Toen hij op verzoek van de Padisjah vervolgens een imitatie gaf van iemand die half de Hodja, half mij was, raakte ik helemaal in zijn ban. Terwijl ik zijn bewegingen volgde, kreeg ik sterk de neiging om net als de Padisjah, 'dit ben ik, dit is de Hodja' te zeggen, maar de imitator deed het zelf al door ons met zijn vinger erbij aan te wijzen. Nadat de Padisjah de man ten slotte met een vriendelijk gebaar had weggezonden, gebood hij ons om hier nog maar eens lang en breed over na te denken.

Wat hadden deze woorden te betekenen? 's Avonds zei ik tegen de Hodja dat de Padisjah veel intelligenter was dan de persoon over wie hij mij al die jaren had verteld; de richting die hij de sultan op wilde trekken, gaat hij al lang uit eigen beweging, zei ik, waarop de Hodja weer een woedeaanval kreeg. Maar deze keer moest ik hem in zoverre wel gelijkgeven dat die imitator inderdaad zo bedreven in zijn kunst was geweest, dat het ronduit onverdraaglijk was. De Hodja zei dat hij voortaan, als het niet per se moest, geen voet meer in het Paleis zou zetten. Nu hij dan eindelijk toch de kans waarop hij jaren gewacht had had gekregen, zag hij geen enkele reden meer zich nog onder die domkoppen te begeven en zich te laten beledigen. En omdat ik de interesses van de Padisjah heel goed kende, en duidelijk de capaciteiten in huis had voor dergelijke potsenmakerij, moest ik maar in zijn plaats naar het Paleis gaan.

De sultan geloofde mij niet, toen ik zei dat de Hodja ziek was. 'Maar goed, laat hij maar hard aan het wapen werken,' zei hij. En zo gebeurde het, dat de vier jaar die de Hodja erover deed om het wapen te ontwerpen en te laten maken, *ík* naar het paleis ging en *híj* thuis bleef met zijn fantasieën, zoals ik vroeger had gedaan.

Dat het leven niet één groot wachten is, maar ook iets kan zijn dat met smaak genoten kan worden, leerde ik in die vier jaar. Toen men zag dat de Padisjah mij met evenveel achting behandelde als hij de Hodja deed, werd ik voortaan ook uitgenodigd voor de feesten en de plechtigheden die bijna elke dag wel plaatsvonden. De ene dag trouwde de dochter van de vizier, de volgende dag werd het zoveelste kind van de Padisjah geboren, of werden er zonen van hem besneden, de dag daarop was er feest vanwege een op de Hongaren heroverde vesting, of vierde iedereen feest vanwege de eerste schooldag van de Kroonprins, en dat was nog niet afgelopen of de ramadan was begonnen en stonden de feestdagen voor de deur. Van de grote hoeveelheden pilaf en vet vlees, die ik op die vaak dagen durende feesten naar binnen sloeg, en van de heerlijke leeuwtjes, struisvogels en zeemeerminnen van pistaches met suiker, waar ik niet van af kon blijven, groeide ik in korte tijd dicht. Het merendeel van mijn dagen gleed voorbij met kijken naar met olie ingewreven worstelaars, die worstelden tot zij erbij neervielen, en naar alle mogelijke acrobatiek: koorddansers die met een balanceerstok dansten over kabels die tussen de minaretten van de moskee gespannen waren, ijzervreters die met hun tanden hoefijzers doormidden beten, messenwerpers die naar links en rechts en naar overal met messen en flessen gooiden; goochelaars, die slangen, duiven en apen uit hun mantel te voorschijn toverden en in een oogwenk de kopjes uit onze handen en het geld uit onze zakken lieten verdwijnen; én natuurlijk, niet te vergeten, met kijken naar het schimmenspel van Karagöz en Hadjivat, op wier gescheld en getier ik gek was. Als er 's nachts geen vuurwerk was, ging ik met mijn nieuwe vrienden die ik vaak pas dezelfde dag had leren kennen, naar een van de paleizen of buitenplaatsen waar iedereen naar toe verdween, en na uren lang raki of wijn drinken en luisteren naar muziek, klonk en dronk en vermaakte ik me vervolgens met mooie danseressen, die kwijnende reeën konden imiteren, met knappe, in vrouwenkleren geklede, köçek-dansers, die over het water liepen en dansten, en met zangers die met pathetische stemmen hun droevige en vrolijke liederen zongen.

Vaak ging ik ook naar de ambassadeurshuizen, waar men nieuwsgierig naar mij was, en na een ballet waarin lieftallige meisjes en jongens zich heen en weer repten, of na de laatste bombastische uithalen van een uit Venetië overgehaald muziekgezelschap, genoot ik dan met volle teugen van mijn overduidelijk langzaam maar gestaag toenemende faam. De Europeanen die op de ambassades bijeenkwamen, vroegen me altijd te vertellen over de angstaanjagende avonturen die ik had meegemaakt. Ze wilden van alles weten, hoeveel pijn had ik geleden, hoe had ik me verzet, hoe had ik het allemaal tot nu toe uit kunnen houden. Wat ik voor hen zorgvuldig verborgen hield, was dat ik in werkelijkheid mijn leven had doorgebracht tussen vier muren met dommelen en het schrijven van volslagen onzinnige boeken, en ik vertelde ze ongelooflijke verhalen over de interessante wereld die zij zo graag wilden leren kennen, verhalen die ik, gewend als ik er inmiddels aan was, zó uit mijn mouw schudde. En wie er aan mijn lippen hingen waren heus niet alleen de jongedochters, die voor hun trouwen hun vader nog een keer kwamen bezoeken, of de ambassadeursvrouwen die graag met mij flirtten; ook de hooggeëerde heren gezanten en secretarissen zelf luisterden ademloos naar de bloedige verhalen van religie en geweld en de harem- en liefdesintriges, die ik ter plekke uit mijn duim zoog. Als ze me erg aan mijn hoofd bleven zeuren, fluisterde ik ze een of twee staatsgeheimen in het oor, die ik eveneens ter plekke verzon, of dichtte de sultan enkele bizarre hebbelijkheden toe, die niemand kon weten. Wanneer zij dan nog meer wilden weten, vond ik het amusant om mezelf met een mysterieus waas te omgeven; ik deed dan alsof ik niet alles kon zeggen wat ik wilde, en hulde mij in een stilzwijgen dat deze stukken onbenul, die de Hodja als kenmerkend voor 'onze mensen' had willen laten doorgaan, nog nieuwsgieriger maakte. Ik wist dat er onder hen ook werd gefluisterd dat ik betrokken zou zijn bij een groot en geheimzinnig project, een of ander onduidelijk plan voor een wapen, waar heel wat kennis en bergen geld voor nodig waren.

Als ik 's avonds thuis kwam van die buitenverblijven en paleizen, mijn hoofd beneveld door fantasieën over de mooie lichamen die ik had gezien, en door de dampen van alle alcohol die ik tot me had genomen, vond ik de Hodja aan onze twintig jaar oude tafel aan het werk. Hij had zichzelf overgegeven aan een werkijver als ik tot nu toe nog nooit bij hem had gezien, het tafelblad lag bezaaid met tekeningen en met paperassen volgeschreven in zijn kriebelige handschrift, en met vreemde modellen waarvan ik de betekenis met geen mogelijkheid kon raden. Dan moest ik van hem vertellen wat ik de godganse dag zoal had gedaan en gezien, maar hij onderbrak me algauw, walgend van al dat vertier, dat hij zonder uitzondering schaamteloos en stompzinnig vond, en had het alweer over 'mensen als wij' en 'mensen als zij' en, in één adem door, over zijn project.

Voor de zoveelste keer zei hij dat alles ten slotte te maken had met wat we in ons hoofd hadden, en dat hij zijn hele project daarop baseerde, hij had het opgewonden over de symmetrie of over de chaos in die met prullaria gevulde kast die wij de hersenen noemden, maar hoe hij vanuit dit uitgangspunt gestalte dacht te kunnen geven aan dat wapen, waar al zijn hoop, al ónze hoop van afhing, kon ik niet vatten. In feite geloofde ik niet dat iemand, wie dan ook, dit zou kunnen vatten, zelfs, zo dacht ik soms wel eens, híj zelf niet. Hij zei tegen me dat als op een dag iemand erin zou slagen het binnenste van onze hersenen open te leggen, al deze dingen die hij had bedacht, juist zouden blijken te zijn. In de dagen van de pest had hij het, als we samen in de spiegel keken, toch al steeds gehad over een grote waarheid die hij intuïtief voelde, wel, nu was alles in zijn geest tot klaarheid gekomen, en kijk, het wapen had dus alles te maken met deze waarheid! Vervolgens wees hij mij, die zonder ook maar iets van zijn opgewonden woorden te begrijpen toch wel onder de indruk was, dan met trillende vingers een vreemde, vage vorm aan op de vellen papier.

Het was alsof die vorm, die iedere keer dat hij ernaar wees weer een beetje verder ontwikkeld was, me ergens aan herinnerde. Wanneer ik naar die duistere vlek keek, die ik nog het beste met 'satanisch' kon omschrijven, lag het even op mijn lippen die gedachte ook daadwerkelijk uit te spreken, maar vervolgens kon ik geen woord uitbrengen of dacht ik dat mijn verstand een spelletje met me speelde, en ik zweeg. Iedere keer weer gebeurde hetzelfde, vier jaar lang, jaren waarin hij met verslinding van bergen geld en vele jaren menskracht ten slotte erin slaagde zijn droom te realiseren. Het was steevast hetzelfde liedje als ik naar die vorm keek, die zich iedere keer verder ontwikkelde en steeds duidelijker werd, en waarvan de afzonderlijke details her en der in de papieren te vinden waren. Soms gebeurde het dat het me sterk deed denken aan iets waar we over hadden gepraat of dat we hadden gezien in het gewone leven van alledag, soms aan iets uit onze dromen, een enkele keer ook leek het me iets uit die jaren van weleer, toen we onze herinneringen aan elkaar vertelden, maar het lukte me maar niet dat ene stapje te zetten dat me helderheid van geest zou verschaffen. Ik boog het hoofd voor de onduidelijkheid van mijn gedachten en wachtte tevergeefs tot het wapen zijn geheim zelf aan mij zou openbaren. Maar toen na die vier jaar die kleine vlek – die inmiddels getransformeerd was tot een vreemd wezen van het formaat van een grote moskee, tot een schrikwekkende spookverschijning of volgens de Hodja zelfs tot een werkelijk wapen – door heel Istanbul wel met iets vergeleken werd, had ik mezelf intussen al geheel verloren in de details waar de Hodja in het verleden over had uitgeweid betreffende de victorie van het wapen in de toekomst.

Wanneer ik op het Paleis kwam, probeerde ik de schitterende en schrikwekkende bijzonderheden van het project voor de sultan te herhalen, precies zoals een mens zich 's ochtends zijn droom probeert te herinneren, die het geheugen hardnekkig wil vergeten. Ik sprak over de wielen en raderen, de koepel, het kruit en de hefbomen, waarover de Hodja mij ik weet niet hoe vaak had verteld.

De woorden die ik gebruikte waren niet mijn woorden, en ook ontbrak er de gloed van de vurige bewoordingen van de Hodja aan, maar toch zag ik dat de Padisjah onder de indruk was. Dat deze man van wie ik werkelijk vond dat hij een scherp verstand had, hoop putte uit die onduidelijke woordenbrei, uit dat geestdriftige overwinnings- en bevrijdingsgedicht van de Hodja, dat ik toch alleen maar in een ruwe vorm over kon brengen, maakte op zijn beurt weer indruk op mij. En dan begon de Padisjah er weer over dat de Hodja die thuis was gebleven, in feite ik was. Al was ik inmiddels wel gewend geraakt aan die intelligentiespelletjes, ze konden me toch nog aardig in de war brengen. Wanneer hij zei dat ik de Hodja was, dacht ik dat het maar beter was om helemaal niets te willen begrijpen, want even later bracht hij dan weer naar voren dat ík al deze dingen aan de Hodja had geleerd. Maar wie dat had gedaan, was niet mijn vadsige persoon van nu, het was mijn vroegere ik geweest, die de Hodja had veranderd! Zouden we het nu, alsjeblieft, eindelijk weer eens kunnen hebben over het vertier en de festiviteiten van die dag, of over het gildefeest, waarvoor de voorbereidingen in volle gang waren, dacht ik dan. Later zei de Padisjah dat iedereen wist dat ík in feite achter dat wapenproject zat.

Dit was eigenlijk wat mij het meest beangstigde. De Hodja vertoonde zich al jaren niet meer in het openbaar, het zou niet lang meer duren of ze zouden hem vergeten zijn, en wie ze wel heel vaak in de buitenverblijven en de paleizen en aan de zijde van de Padisjah zagen, was ik; ze gunden me het licht niet meer in de ogen! Alleen was dat niet omdat de opbrengst van tientallen dorpen, olijfboomgaarden en herbergen verdween in dat vage wapenproject, waarover het geroddel iedere dag toenam, en ook niet omdat ik zo intiem was met de sultan, maar ze scherpten hun messen voor mij, de heiden, omdat ze vonden dat we ons in feite inlieten met andermans zaken. Soms, op momenten dat ik mijn oren echt niet meer kon sluiten voor hun lasterpraatjes, uitte ik mijn bezorgdheid tegenover de Hodja of de sultan.

Maar die gaven niet thuis. De Hodja had zich finaal in zijn project ingegraven! Zoals oude mensen afgunstig kunnen zijn op het enthousiasme van de jeugd, zo benijdde ik hem om zijn verwoede gedrevenheid. Die laatste maanden, waarin hij die vage en duistere vlek op het papier met allerlei details invulde en aanvulde en omvormde tot het ontwerp voor de matrijzen van een monster dat mij bang maakte, en maanden waarin hij ongelooflijke hoeveelheden geld nu weer in die matrijzen stopte, en zó dik staal liet gieten dat geen enkele kanonskogel er doorheen zou kunnen dringen, hoorde hij de kwalijke geruchten die ik overbracht niet eens; het enige waar hij nog wel interesse voor kon opbrengen, waren de ambassadeurshuizen zelf waar deze praatjes rondgingen: die gezanten, wat waren dat nou voor mensen? Gebruikten zij hun hersenen een beetje? Hadden zij het wel eens over het wapen? En dan vooral: waarom dacht de sultan er helemaal niet over om ook ambassadeurs uit te zenden om onze staat in die landen permanent te vertegenwoordigen? Ik voelde dat hij zelf wel zin had in deze functie, dat hij best daar wilde wonen, verlost van de domkoppen hier, maar hij sprak deze wens nooit openlijk uit, zelfs niet in dagen van wanhoop, wanneer hij eindeloze problemen had met de uitvoering van zijn ontwerpen, wanneer de staalplaten die hij had laten gieten, barstten, of wanneer hij vermoedde dat het beschikbare geld niet toereikend zou zijn. Slechts een paar maal ontsnapte hem de verzuchting dat hij wel eens contact zou willen hebben met dáár, 'bij hen', opgeleide wetenschappers; misschien begrepen die de feiten wel die hij had ontdekt met betrekking tot het binnenste van onze hoofden. Wat hem voor ogen stond was een briefwisseling met wetenschappers uit die verre landen, uit Venetië, de Nederlanden of uit welk land dan ook waarvan hem op dat moment maar de naam te binnen schoot. Wie waren eigenlijk het beste, waar woonden zij, hoe kon men met ze in contact komen, kon ik dat eens van die gezanten te weten zien te komen? Daar ik me in die dagen helemaal in het uitgaansleven had gestort en me nauwelijks meer interesseerde voor het wapen dat bijna klaar was, vergat ik dit verzoek onmiddellijk weer, dat onmiskenbaar de sporen droeg van een pessimisme dat onze vijanden zou verheugen.

Ook de Padisjah sloot zijn oren voor de roddelpraat van onze vijanden. Zelfs toen het al zover was dat de Hodja om het wapen uit te proberen, dappere kerels zocht om die verschrikkelijke berg van staal in te gaan en daar, in die de neusgaten schroeiende geur van ijzer en roest, aan de raderen te draaien, luisterde hij niet naar mij als ik zo nu en dan toch mijn zorg uitsprak over de geruchten die de omloop deden. Zoals altijd, liet hij me ook nu weer herhalen wat de Hodja had gezegd. Want hém geloofde hij, hij was uitermate tevreden over hem, en had er in het geheel geen spijt van dat hij zich op hem had verlaten: voor dat alles bedankte hij míj. Ik had de Hodja immers alles geleerd. Hij had het net als de Hodja nu ook over de binnenkant van hun hoofden; en tegelijk met deze belangstelling kwam ook hij vervolgens met die andere vraag; net als de Hodja eertijds, vroeg nu de sultan mij eveneens steeds weer hoe ze daar, in dat land, mijn oude land, leefden.

Ik vertelde en fantaseerde er lustig op los. Ik kan nu niet meer uitmaken of die fantasieën, waarin ik voor het merendeel door het eindeloze herhalen vandaag de dag echt ben gaan geloven, dingen zijn die ik in mijn jeugd werkelijk heb beleefd, of dat het droomverhalen zijn, die iedere keer dat ik aan de tafel ga zitten om aan mijn boek te schrijven vanzelf uit mijn pen vloeien. Voor de lol lardeerde ik mijn verhalen met allerlei leugentjes die spontaan in mij opkwamen, en ik had ook zo wat sprookjes tot mijn beschikking die ik iedere keer met veel fantasie verder uitspon; bovendien vertelde ik steeds weer, omdat de Padisjah deze bijzonderheid wel zeer interessant bleek te vinden, over de lange rijen knoopjes die iedereen daar aan zijn kleren had. Hele verhalen vertelde ik waarvan ik met geen mogelijkheid kan zeggen of ik de details ervan uit mijn herinneringen dan wel uit mijn dromen haalde. Maar er waren zeker een paar absoluut ware feiten bij, die ik in die vijfentwintig jaar nog steeds niet was vergeten: zoals de dingen waar we aan tafel met elkaar over spraken, als we met mijn vader en moeder en alle kinderen onder de lindebomen ontbeten! Maar die dingen interesseerden de Padisjah juist het minst. Op een keer had hij tegen mij gezegd, dat alle levens in wezen op elkaar lijken. Om de een of andere reden was ik hier erg van geschrokken, op het gezicht van de sultan lag een satanische uitdrukking, die ik nooit eerder bij hem had gezien, en ik wilde hem vragen wat die woorden te betekenen hadden. Ik keek hem angstig aan en voelde een sterke neiging om '*ik* ben *ik*' te zeggen. Alsof, wanneer ik de moed maar op zou kunnen brengen om dat ene onzinnige zinnetje uit te spreken, al die spelletjes van de Padisjah, de Hodja en de roddelaars die konkelden en kronkelden om van mij iemand anders te maken op niets zouden uitlopen en ik mijn eigen wezen rustig verder zou kunnen leven. Maar ik zweeg angstig, zoals mensen doen die bang zijn dat ieder woord, hoe vaag ook, hun rust in gevaar zou kunnen brengen.

In de tijd dat dit speelde was het lente, de Hodja had het wapen wel af, maar nog niet kunnen uitproberen, omdat hij de mannen die het moesten bedienen nog niet bij elkaar had kunnen krijgen. Niet lang daarna hoorden we tot onze verrassing dat de Padisjah met het leger op veldtocht naar Polen was vertrokken. Waarom had hij ons wapen dat immers ontworpen was om de vijand te verslaan en verdrijven niet op veldtocht meegenomen en waarom had hij mij niet aan zijn zijde meegevraagd, vertrouwde hij ons soms niet? Overigens geloofden wij, net als de andere achterblijvers in Istanbul, dat de sultan helemaal niet om oorlog te voeren maar voor de jacht op veldtocht was gegaan. De Hodja was hier eigenlijk wel blij mee, hij had nu een jaar extra, maar ik had niks meer om handen. Daarom besloten we verder samen aan het wapen te werken.

We spanden ons tot het uiterste in om mannen te vinden om het wapentuig te bedienen. Niemand stond te springen om het angstaanjagende gevaarte binnen te gaan. De Hodja bazuinde overal rond dat hij goed zou betalen, we stuurden omroepers de stad in en lieten de omgeving van de scheepswerven en de arsenaalbuurt Tophane uitkammen, we ronselden onder de werklozen in de koffiehuizen, en onder de avonturiers en het uitschot. Maar áls ze al hun angst overwonnen en de stalen kolos ingingen, konden de meeste van de mannen die we hadden weten te vinden, het draaien aan de raderen in dat vreemde insekt, dicht op elkaar gepropt en bakkend van de hitte, niet lang volhouden en gingen ze er zo snel mogelijk weer vandoor. Toen we dan aan het einde van de zomer de vechtwagen eindelijk in werking konden stellen, was het jaren achtereen voor dit werk ingezamelde geld op. Het wapen zette zich lomp en plomp in beweging, onder de angstige en verbaasde blikken en de aanmoedigende triomfkreten van de nieuwsgierigen, viel aan op een denkbeeldige vesting, gaf hokkend en schokkend vuur met zijn kanonnen en viel toen stil. De Hodja haalde alles uit de dorpen en olijfboomgaarden wat hij er nog maar uit kon halen, maar toch moest hij de werkploeg die we met zoveel moeite bij elkaar hadden gekregen, laten vertrekken vanwege het feit dat het anders te begrotelijk werd.

De winter ging voorbij met wachten. De Padisjah was na afloop van de veldtocht in zijn teer beminde Edirne gebleven; er was niemand die ons kwam opzoeken of naar ons vroeg, er was ook niemand waar we 's ochtend voor naar het Paleis hoefden om hem te vermaken met onze verhalen, en niemand waar wij ons 's avonds in de buitenverblijven mee konden vermaken. We waren helemaal alleen en hadden helemaal niets te doen. Om de dagen door te komen, liet ik mijn portret schilderen door een uit Venetië afkomstige kunstschilder en nam ik luitles; de Hodja ging om de andere dag naar Kuledibi naar het wapen kijken dat hij daar onder de hoede van een bewaker had achtergelaten. Hij ondernam wel een en ander om het apparaat nog te verbeteren en voegde er ook hier en daar wat aan toe, maar het hing hem al snel de keel uit. Die laatste winteravonden waarop wij bij elkaar zaten, had hij het zelfs niet meer over het wapen en wat ze er wel niet mee zouden kunnen doen. Er was een grote zwijgzaamheid over hem gekomen, en dit kwam volgens mij niet doordat hij zijn enthousiasme zelf kwijt was, maar omdat ik niet meer als vroeger het vuur in hem wakker maakte.

's Avonds brachten we onze tijd voornamelijk door met wachten; wachten tot de wind of de sneeuw zou ophouden, wachten in de kleine uurtjes tot de boza-verkoper voor de laatste keer met zijn gierstdrank voorbijkwam, wachten tot in de open haard meer as was dan vuur en we er weer nieuw brandhout bij moesten gooien, wachten op het doven van het laatste trillende lamplichtje aan de overkant van de Gouden Hoorn, wachten op de slaap die op de een of andere manier maar niet kwam en op de oproep tot het ochtendgebed. Op een van die winteravonden waarop we zeer weinig spraken en veelal in dromerijen verzonken zaten, zei de Hodja ineens tegen mij dat ik erg was veranderd, dat ik eigenlijk heel iemand anders was geworden. Mijn maag kromp ineen van pijn en het zweet liep me over de rug; ik wilde er iets tegen inbrengen, ik wilde wel zeggen dat hij ongelijk had, dat ik net zo was als vroeger, dat we op elkaar leken, dat hij zich weer met me bezig moest houden zoals hij dat vroeger had gedaan, dat er nog veel, heel veel dingen waren waar we over moesten praten, maar, hij had gelijk... mijn oog bleef haken aan het portret dat ik die ochtend van de kunstschilder mee naar huis had genomen en aan de muur had gehangen, ik was inderdaad veranderd: door het schransen op de banketten was ik dik geworden, mijn onderkin was uitgezakt, mijn vlees slap, mijn bewegingen waren zwaar en traag geworden, en wat wel het ergste was, mijn gezicht was helemaal veranderd; van al het gekus en gedrink op feesten en partijen had mijn mond verweekte trekjes gekregen, en het nachtenlange doorhalen en ongeregelde slapen, wanneer en waar het me maar uitkwam, hadden mijn blik mat en kwijnend gemaakt; in mijn ogen lag dezelfde banale rust als in de ogen van de domkoppen, die zo ingenomen zijn met hun leven, de wereld en zichzelf; maar ik maakte mezelf niks wijs, ik wás ook ingenomen met mijn nieuwe toestand: dus zweeg ik verder maar.

Vanaf dat moment had ik totdat de Padisjah ons én het wapen voor de veldtocht opriep vaak deze zelfde droom: we waren op een gemaskerd bal, een feest even chaotisch als de feesten in Istanbul, maar dat gehouden werd in Venetië: toen ik in de mensenmenigte mijn moeder en mijn verloofde herkende en ze hun masker van 'volksvrouw' afdeden, kreeg ik nieuwe hoop en deed ik ook mijn eigen masker af, zodat ze mij toch alsjeblieft zouden herkennen, maar niets daarvan: ze wezen in plaats daarvan met hun masker, dat ze bij het pootje vasthielden naar iemand achter mij; ik draaide me om, en zag dat die man de Hodja was, maar híj zou toch zeker wel begrijpen dat ík ik was! Toen ik hoopvol op hem af liep, zodat hij mij zou herkennen, liet de man die de Hodja was, zonder iets tegen me te zeggen zijn masker zakken, en daarachter kwam de jongeman te voorschijn die ik vroeger was, en die me met een schuldgevoel deed wakker schrikken uit mijn droom.

10

Toen de Hodja aan het begin van de zomer hoorde dat de Padisjah ons met het wapen in Edirne verwachtte, kwam hij onmiddellijk in actie. Op dat moment begreep ik pas dat hij alles in staat van paraatheid had gehouden, en dat hij de hele winter door het contact met zijn bemanning die hij had moeten wegsturen, warm had gehouden. Drie dagen later waren we klaar voor de veldtocht. De laatste avond en nacht bracht de Hodja door met het overhoop halen van zijn hele huis, hij rommelde met zijn oude boeken met de gescheurde banden, de verhandelingen die half af waren blijven liggen, de vergeelde kladschriften en notities, tot zijn persoonlijke bezittingen, prullaria en rommeltjes aan toe; het leek wel alsof we naar een nieuw huis zouden gaan. Hij liet de bel van de verroeste getijdenklok werken en haalde het stof van de astronomische instrumenten. Tot aan de ochtend bleef hij scharrelen tussen de toestellen en instrumenten, die we in die vijfentwintig jaar hadden gebouwd, en bladeren in de stapels schetsen en kladversies van de boeken, die we in al die jaren hadden geschreven. Bij het aanbreken van de dag zag ik hem het gescheurde en verbleekte schriftje doorbladeren, dat ik indertijd had volgeschreven met de observaties van onze experimenten voor dat grote, door ons georganiseerde vuurwerk, en hij zei aarzelend: 'Moesten we dit eigenlijk maar niet meenemen? Zou het niet nog ergens voor van nut kunnen zijn?' Toen hij mij met lege ogen naar hem zag staren, werd hij kwaad en smeet alle spullen die hij binnen handbereik had, woedend in een hoek.

Maar toch was er tijdens die tien dagen durende reis naar Edirne wel een zekere saamhorigheid tussen ons, al was het dan ook niet meer zoals het jaren geleden geweest was. Vóór alles was de

Hodja hoopvol gestemd: ons wapen zwoegde piepend en knarsend, met een vreemd geraas en gedonder, moeizaam en zwaar voort op zijn weg, maar kwam toch sneller vooruit dan hij had verwacht, en het deed, geheel naar zijn wens, een ieder die het zag griezelen, waarbij het werd uitgemaakt voor alles wat lelijk was: monster, kever, satan, stekelschildpad, rijdend fort, zwarte schroothoop, Dolle Dries, ketel op wielen, reus, cycloop, gedrocht, smerig zwijn, zigeuner, en enge griezel. Toen de Hodja zag hoe langs de hele weg de nieuwsgierigen uit de dorpen in de omgeving toestroomden, en hoe ze in drommen van de toppen van de heuvels op veilige afstand opgewonden stonden te kijken naar die helse machine, waar ze niet dichter bij durfden te komen, werd zijn stemming steeds opgewekter. En als dan 's nachts onze mannen, die zich de hele dag in het zweet hadden gewerkt, in hun tenten diep onder zeil waren, begon de Hodja in een stilte die slechts door de krekels werd doorbroken, mij te vertellen over de dingen die zijn Dolle Dries onze vijanden zou aandoen. Weliswaar ontbrak hem het enthousiasme van vroeger en vroeg hij zich, net als ik, met enige bezorgdheid af wat de reactie van het leger en het gevolg van de Padisjah op het wapen zou zijn en welke plaats het vehikel zou krijgen in de slagorde van het leger, maar hij kon toch nog steeds met een gerust gemoed en alsof hij er zelf in geloofde, doorbabbelen over 'onze laatste kans', en over hoe we de stroom van de rivier in de door ons gewenste richting konden keren, en nog belangrijker, over 'zij daar en wij hier', wat hem altijd weer in een toestand van grote opwinding wist te brengen.

Het wapen werd feestelijk in Edirne ingehaald, maar behalve de Padisjah en enkele fervente vleiers uit zijn gevolg, was er verder niemand die enig enthousiasme toonde. De Padisjah had de Hodja ontvangen als een oude vriend, er werd geregeld over de waarschijnlijkheid van een oorlog gesproken, maar van paniek was geen sprake en er werden ook niet bepaald veel echte voorbereidingen getroffen. Ze begonnen de dagen samen door te brengen, en ik deed met ze mee; wanneer ze te paard uitreden naar de donkere bossen in de omgeving, om naar het gekwinkeleer van de vogels te luisteren; wanneer ze op een boottochtje op de Tunca of de Meriç de kikkers gingen observeren; wanneer ze bezorgd een kijkje gingen nemen bij hun geliefde ooievaars die na in een gevecht met adelaars te zijn verwond, neergestreken waren op de binnenhof van de Selimiye Moskee; en wanneer zij het wapen gingen inspecteren, om hun kunstwerk voor de zoveelste keer te kunnen bewonderen, altíjd was ik aan hun zijde. Maar met smart merkte ik dat ik helemaal niets toe te voegen had aan hetgeen zij bespraken. Ik kon niets oprechts bedenken om te zeggen, wat hun bovendien nog zou interesseren ook. Misschien was ik wel jaloers op hun intimiteit, maar vóór alles had ik gewoon schoon genoeg van de hele gang van zaken: de Hodja zong nog altijd hetzelfde lied en het verbaasde me ronduit dat de Padisjah nog steeds wilde luisteren naar zijn fantastische verhalen over de overwinning, over de superioriteit van de anderen en dat we in actie moesten komen en ze eindelijk achter ons laten, en over de toekomst en de binnenkant van onze hoofden. Op een dag midden in de zomer, toen de geruchten over een aanstaande oorlog sterker waren geworden, zei de Hodja dat hij een flinke kerel nodig had en nam mij met zich mee. We liepen gehaast door de binnenstad van Edirne, kwamen door de zigeuner- en de jodenwijk, en liepen een aantal grauwe grijze straten door waar ik al eens eerder met een gevoel van beklemming had rondgelopen, langs de allemaal eendere huizen van de arme moslims. Toen ik merkte dat dezelfde schots en scheef, en in en tegen elkaar aan gebouwde huizen, die ik eerst links van mij had gezien, nu rechts aan mij voorbijtrokken, begreep ik dat we een rondje hadden gelopen door dezelfde straten en ik vroeg waar we waren; we bleken in de Fildami-buurt te zijn. Ineens stopte de Hodja voor een huis en klopte op de deur. Een jongen van zo'n jaar of acht, met groene ogen, deed de deur open. 'Leeuwen!' zei de Hodja tegen hem. 'Er zijn leeuwen ontsnapt uit het Paleis van de Padisjah, en we zijn naar ze op zoek.' Hij duwde de jongen opzij en ging het huis in, ik kwam achter hem aan. Binnen rook het naar stof, hout en zeep, in het halfdonker liepen we snel een krakende trap op, naar een overloop boven; de Hodja ging de deuren langs en deed ze een voor een open. In de eerste kamer zat een versleten oude man met open, tandeloze mond te dommelen, en twee vrolijke kinderen trokken hem aan zijn baard om hem iets te vragen; ze schrokken toen ze de deur open zagen gaan; de Hodja deed de deur weer dicht en opende een andere; daarbinnen lag een stapel dekbedden en rollen stof voor dekbedden. De jongen die de buitendeur voor ons had geopend, greep net vóór de Hodja de deurknop van de derde kamer beet: 'Hier zijn geen leeuwen, hier zijn mijn moeder en mijn tante.' Toch opende de Hodja de deur. Twee vrouwen zaten in het halfdonker met de rug naar ons toe op hun bidkleedje geknield. In de vierde kamer zat een man dekbedden te naaien, hij leek op mij, te meer daar hij net als ik geen baard had; toen hij de Hodja zag stond hij op. 'Waarom ben je hier gekomen, idioot?' zei hij. 'Wat wil je van ons?' 'Waar is Semra?' zei de Hodja. 'Tien jaar geleden is ze naar Istanbul vertrokken,' antwoordde de man. 'Ze is er doodgegaan aan de pest. Had jij niet kunnen creperen?' Zonder nog iets te zeggen liep de Hodja de trap af en het huis uit. Terwijl ik als een braaf hondje achter hem aan liep, hoorde ik achter me de jongen roepen: 'Mamma, de leeuwen zijn gekomen!' en een vrouw die hem antwoord gaf: 'Nee hoor, alleen je oom maar, met zijn broer!'

Ik weet niet, misschien was het omdat ik wat er plaats had gevonden maar niet kon vergeten, of misschien was het ook wel ter voorbereiding op mijn nieuwe leven en op dit boek dat u nog steeds geduldig aan het lezen bent, hoe het ook zij, twee weken later ben ik op een ochtend heel vroeg weer naar die plek gegaan. Door het bedrieglijke licht had ik eerst moeite de straat en het huis dat ik moest hebben te vinden; toen ik er eenmaal was, probeerde ik uit te vinden wat de kortste weg was naar het Ziekengesticht van de Beyazit Moskee. Eerder had ik al bepaald waar deze ongeveer zou moeten liggen. Ik kon de weg naar de brug in de schaduw van populieren maar niet vinden, vermoedelijk omdat ik van de verkeerde veronderstelling uitging, namelijk dat zij de allerkortste weg zouden hebben genomen; uiteindelijk vond ik wel een weg met populieren, maar daar liep weer geen rivier langs waar men aan de oever kon zitten en helva eten. Wat het ziekenhuis betreft, dat voldeed totaal niet aan het ziekenhuis uit onze verbeelding, er was geen spoortje modder te vinden, het was er integendeel brandschoon, en er was ook geen geruis van water te horen, noch waren er ergens gekleurde flessen te bekennen. Toen ik een patiënt zag, die was vastgeketend, kon ik me niet inhouden en ik vroeg aan een dokter, wat er met hem aan de hand was. De man zou verliefd en toen gek geworden zijn, en dacht van zichzelf dat hij iemand anders was, zoals zoveel gekken doen; de dokter wilde nog meer vertellen, maar zonder verder nog te luisteren heb ik me omgedraaid en ben weggegaan.

Tegen het einde van de zomer, op een dag dat we het helemaal niet meer verwachtten, viel eindelijk het besluit tot de veldtocht. We waren er inmiddels al vanuit gegaan dat het daar nooit meer van zou komen. De Polen hadden zich echter niet kunnen neerleggen bij de nederlaag van vorig jaar en de hoge schatting dientengevolge, en hadden de volgende boodschap gestuurd: 'Kom de schatting maar halen, maar wel met het zwaard!' De dagen daarop scheelde het niet veel of de Hodja was in zijn woede gestikt. Bij de voorbereidingen voor de marsorde van het leger had namelijk niemand aan een plek voor het wapen gedacht; niemand wilde die hoop zwart schroot naast zich in de strijd zien, want niemand had veel vertrouwen in de prestaties van die reuzenketel, erger nog, men hield het zelfs voor een onheilbrenger! Toen de Hodja een dag voor de veldtocht de voortekenen duidde met betrekking tot het verloop van de strijd, waren ons vijandig gezinde lieden hierover begonnen en hadden met zoveel woorden gezegd dat het wapen evengoed de verdoemenis zou kunnen brengen. Toen de Hodja me dit vertelde en erbij zei dat ze dachten dat meer nog dan hij, ík het was die achter deze verdoemenis zat, werd ik door angst bevangen. De Padisjah had echter duidelijk te kennen gegeven dat hij vertrouwen had in de Hodja en in het wapen, en, om verdere discussie te voorkomen, had hij gezegd dat het wapen tijdens de gevechten direct aan hem en zijn keurtroepen toegevoegd zou worden. Op een warme dag, begin september, namen we afscheid van Edirne.

Iedereen wist in zijn hart dat het al te laat in het seizoen was om op veldtocht te gaan, maar dat werd nauwelijks hardop gezegd. Nieuw voor mij was, dat soldaten op een veldtocht minstens zo bang zijn voor slechte voortekenen als voor de vijand, of misschien zelfs nog banger, en dat ze in feite vechten uit angst voor het onbenoembare onheil. Na de eerste dag van onze tocht naar het noorden, langs ordentelijke, welvarende dorpen en over bruggen die onder ons wapen in hun pijlers kreunden en steunden, werden we 's avonds tot onze verrassing ontboden in de tent van de sultan. Maar de Padisjah had zich vreselijk kinderachtig gedragen, net zo opgewonden en onrustig als zijn soldaten, als waren zij kinderen die een nieuw spel gaan spelen, en net als zijn soldaten had hij de Hodja van allerlei eigenaardige verschijnselen van die dag gevraagd wat ze te beduiden hadden: die ene rode wolk vóór de ondergaande zon, die laagvliegende valken, die kapotte schoorsteen van dat huis in dat ene dorp, die naar het zuiden trekkende ooievaars, wat hadden al deze dingen te betekenen? Natuurlijk duidde de Hodja alles ten goede!

Maar ons werk was nog niet afgelopen: de Padisjah was eraan verslaafd geraakt op veldtocht 's nachts spannende griezelverhalen te horen, wat voor ons alletwee nieuw was. En zo schilderde de Hodja hem een duister tafereel voor, dat zijn oorsprong vond in het bevlogen gedicht uit het boek van ons waar ik het meest van hield, en dat we jaren geleden aan de sultan hadden gegeven. Het werd een afgrijselijk verhaal dat wemelde en krioelde van de doden, bloedige nederlagen, mislukkingen, verraad en ellende, maar steeds, ergens in een hoekje, was de vlam der overwinning aanwezig, nog net zichtbaar voor de angstige blikken van de Padisjah. En om die aan te wakkeren moesten wij als de bliksem onze hersens gaan gebruiken, moesten we zo spoedig mogelijk erachter zien te komen waar hem het onderscheid tussen 'ons en hen' nu precies in zat, zien te achterhalen wat er in onze hoofden zit, en een antwoord vinden op al die andere vragen waarover de Hodja mij al jarenlang aan het hoofd had gezeurd en die ik eigenlijk had willen vergeten. Kortom we moesten wakker worden geschud! Dat de

Hodja iedere nacht de terreur, de gruwel en de somberheid van dat smakeloze verhaal, dat mij slechts walging bezorgde, nog een graadje opvoerde, was misschien omdat hij vond dat de Padisjah tekenen van gewenning begon te vertonen. Maar toch, als hij zo sprak over wat er in ons hoofd zit, voelde ik dat de Padisjah iedere keer weer vol genot zat te griezelen.

De jachtpartijen begonnen in de eerste week van de veldtocht. Een van de manschappen die speciaal hiervoor met het leger meereisde, ging eerst op pad om de streek te verkennen, en nadat ze een geschikt jachtgebied hadden uitgezocht en de dorpelingen op de hoogte hadden gebracht, verlieten wij met de Padisjah en zijn jagers de marscolonne en reden naar de uitgekozen plek, een bos dat bekend stond om zijn gazellen, een berghelling waar de wilde zwijnen je voor de voeten liepen, of een woud waar het wemelde van de vossen en hazen. Na die beperkte maar plezierige jachtpartijen van enkele uren voegden we ons dan onder luid tromgeroffel weer bij de marscolonne, alsof we terugkeerden van een oorlog waar wij als glorieuze overwinnaars uit te voorschijn waren gekomen en wij reden steevast vlak achter de Padisjah als het leger zijn welkomstsaluut liet horen. Ik hield van deze rituelen, terwijl de Hodja er juist een hekel aan had. Ik genoot er ook van om 's avonds met de Padisjah na te praten over de jacht, meer dan over de veldtocht, de toestand van de dorpen en stadjes waar het leger langs was getrokken, of zelfs over de laatste berichten over de vijand. En daarna kwam de Hodja dan met zijn voorspellingen en verhalen, die iedere nacht woester werden uit woede over ons geleuter, dat hij maar stom en onbenullig vond. Dat de Padisjah al deze verhalen, die de Hodja met opzet zo angstaanjagend mogelijk maakte, en al die sprookjes over het inwendige van ons hoofd voor zoete koek slikte, begon mij op een gegeven moment, net als de mensen uit zijn gevolg, ook te verontrusten.

Maar ik zou nog van veel kwalijker zaken getuige zijn! Op een keer waren we weer op jacht; de hele bevolking van het dichtstbijzijnde dorp was opgetrommeld en het woud ingestuurd om daar met geroffel op pannen en potten en woeste kreten slakend de zwijnen en herten de kant op te drijven waar wij ze met onze paarden en wapens opwachtten, maar tot aan het middaguur was er nog steeds geen enkel dier onze kant opgekomen. Omdat we ons begonnen te vervelen en ook enigszins bevangen raakten door de middaghitte, had de Padisjah aan de Hodja gevraagd om een paar van die verhalen te vertellen die hem 's nachts kippevel bezorgden. Begeleid door het van ver komende, nu eens zwakke dan weer wat sterkere geroffel op potten en pannen, kwamen we intussen moeizaam en traag vooruit, tot we bij een christelijk dorp halt hielden. In het lege dorp begonnen de Hodja en de Padisjah ineens druk te gebaren en te wijzen naar een van de huizen, en ik zag hoe een broodmagere, oude man die zijn hoofd om de hoek van de deur had gestoken, door mannen van de Padisjah bij de arm werd gepakt en naar hen toe werd gebracht. Nog maar net daarvoor hadden zij het weer over 'hen' gehad en over het inwendige van hoofden, en toen ik de nieuwsgierigheid op hun gezichten zag en de Hodja aan de grijsaard met behulp van een tolk iets zag vragen, vreesde ik het ergste en ging snel naar ze toe.

De Hodja zei tegen de oude man dat hij direct en zonder na te denken antwoord moest geven, en vroeg toen: wat was de grootste zonde van zijn leven, het grootste kwaad dat hij had begaan? De dorpeling mompelde in een door de tolk moeizaam voor ons overgezet, gebroken Slavisch: hij was een onschuldige arme oude man, zonder zonden; maar de Hodja hield met een eigenaardige felheid aan en wilde dat de oude man over zichzelf vertelde. Nadat deze had gezien dat de sultan even benieuwd was als de Hodja, gaf hij snel toe: ja, hij was inderdaad schuldig, hij had ook samen met het hele dorp zijn huis uit moeten komen, hij had ook met zijn dorpsgenoten mee moeten gaan om de dieren op te jagen voor de jacht, maar hij was ziek, hij had een excuus, hij was werkelijk niet meer in staat om een hele dag in het woud rond te kunnen rennen. Hij wees met zijn hand naar zijn hart en smeekte om vergiffenis, maar dat maakte de Hodja woedend en hij schreeuwde: dáár had hij niet naar gevraagd, hij wilde weten wat zijn échte zonden waren. Het zag er echter niet naar uit dat de dorpeling de vraag die onze tolk maar bleef herhalen, ooit zou vatten; hij stond daar als verlamd, terwijl hij zijn hand vol smart tegen zijn hart drukte. Ze voerden de oude man af. Nu leidden zij een ander voor, maar toen deze man precies dezelfde antwoorden gaf, liep de Hodja rood aan. Om het voor deze tweede gemakkelijker te maken, vertelde de Hodja hem toen als voorbeelden van zonde en kwaad mijn kinderzondetjes, de leugentjes die ik had verteld om mijzelf thuis geliefder te maken dan de andere kinderen en de seksuele zonden uit mijn studententijd; terwijl hij dat allemaal vertelde alsof het de slechtigheden waren van een anonieme zondaar, herinnerde ik mij met schaamte en afschuw de dagen die wij samen hadden doorgebracht ten tijde van de pest, waaraan ik, nu ik dit boek schrijf met heimwee terugdenk. Pas toen een manke dorpeling die als laatste bij ons was gebracht, fluisterend bekende dat hij stiekem wel eens naar de vrouwen had gekeken als ze zich in de beek wasten, kalmeerde de Hodja een beetje. Ja, dus zo stonden 'zij' tegenover hun slechte daden, zij konden het dus wel openlijk toegeven; maar 'wij' die er nog achter moesten komen wat er nu feitelijk in onze hoofden gebeurde... enz. enz. Ik wílde geloven dat de Padisjah niet al te zeer onder de indruk was.

Maar zijn nieuwsgierigheid bleek wel degelijk gewekt; twee dagen later, tijdens een andere jachtpartij waarop we achter herten aan waren gegaan, liet hij oogluikend toe dat de geschiedenis zich herhaalde, mogelijk omdat hij niet tegen de Hodja op kon, maar misschien ook wel omdat hij meer van de ondervraging genoot dan ik wilde denken. We waren om te jagen de Donau overgestoken en weer waren we in een christelijk dorp, alleen spraken ze hier een Romaanse taal. Verder viel er in de vragen van de Hodja nauwelijks enige verandering te bespeuren. Eerst wilde ik niet luisteren naar de antwoorden van de dorpelingen die duidelijk bang waren voor de vragen, vragen die mij het psychische geweld in herinnering brachten van de nachten ten tijde van de pest, waarin ik er ten slotte in geslaagd was de Hodja tot het opschrijven van zijn slechte daden te krijgen. De dorpelingen waren ook zichtbaar bang voor de inquisiteur die hen ondervroeg en van wie ze niet wisten wie hij was, en ze waren bang voor de sultan die hem stilzwijgend steunde. Ik werd overspoeld door een vreemd soort walging; meer nog dan aan de Hodja ergerde ik me aan de Padisjah. Ik ergerde me eraan dat hij zich zo liet meeslepen, of in ieder geval geen weerstand kon bieden aan de aantrekkingskracht van dit gruwelijke spel. Maar het duurde niet lang of ik werd ook meegesleept door eenzelfde weerzinwekkende nieuwsgierigheid. Met luisteren heeft nog nooit iemand kwaad gedaan, zo zei ik tegen mezelf, en ik ging wat dichter naar hen toe. Het merendeel van de zonden en vergrijpen, verteld in een taal die mij elegant en aangenaam in de oren klonk, leek op elkaar: eenvoudige leugens, kleine bedriegerijen; één, twee gevallen van woordbreuk, een enkele keer ontrouw; en, wat nog het vaakst genoemd werd, kruimeldiefstallen!

's Avonds zei de Hodja dat de dorpelingen beslist niet alles hadden verteld, zij hielden de waarheid achter; ík was indertijd immers veel verder gegaan: zij moesten veel diepere, veel waarachtiger zonden begaan hebben, die hen fundamenteel van onze mensen onderscheidden. Hij zou de Padisjah ervan overtuigen dat hij door moest gaan, en zo nodig geweld gebruiken om de waarheid te achterhalen en te kunnen laten zien hoe 'zij' waren en dus ook hoe 'wij' waren.

De daaropvolgende dagen stonden geheel in het teken van dat gaandeweg nog toenemende, steeds onzinniger wordende, weerzinwekkende geweld. In het begin was het allemaal nogal onschuldig; de eerste dagen waren we net kinderen die er midden in hun spel plotseling wat grove, maar vergeeflijke grappen uit gooiden, en waren de verhooruren als scènes uit Ortaoyunu-straattoneel, alsof ze bij wijze van intermezzo in de aangename, maar soms wat langdurige jachtpartijen voor ons georganiseerd waren; later echter veranderde dit alles in een ritueel, dat onze wilskracht, uithoudingsvermogen en zenuwen zwaar op de proef stelde, maar waar wij, God mag weten waarom, maar niet mee konden ophouden. Ik zag dorpelingen, volledig overdonderd door de vragen van de Hodja en diens onverklaarbare razernij, – en ze hadden het misschien best verteld als ze maar precies hadden geweten wat het was dat van hen werd verlangd. Ik zag tandeloze, moede grijsaards, op het dorpsplein bijeengedreven, en alvorens ze stamelend hun zonden of vermeende zonden opbiechtten, smeekten zij de omstanders met hun ogen om hulp; ik zag jongemannen die werden mishandeld, gestompt en geslagen als hun bekentenissen en wandaden te licht werden bevonden, en ik herinnerde me hoe de Hodja eertijds, na te hebben gelezen wat daar aan tafel was neergeschreven, míj had uitgefoeterd: 'Ik zal je, ik zal je!', en me op mijn rug had gestompt, hoe hij tekeer was gegaan van ergernis en woede, omdat hij niet begreep hoe ik zo iemand kon zijn. Maar, al was hem nog steeds veel niet helemaal duidelijk, hij wist nu beter wat hij zocht en het resultaat dat hij wilde bereiken. Hij probeerde nu ook andere methoden uit: hij onderbrak bijvoorbeeld de bekentenissen van het slachtoffer om de haverklap met de beschuldiging dat hij loog, en dan gaven onze mannen de zondaar een aframmeling. Of soms onderbrak hij de biechteling door te zeggen, dat hij door een kameraad was betrapt. Een tijd lang probeerde hij uit, hoe het ging als hij ze twee aan twee bij zich liet komen. Maar toen hij merkte dat de dorpelingen zich voor elkaar schaamden en de feiten op deze manier niet bepaald aan diepgang wonnen, ondanks het geweld dat onze mannen onverbiddelijk toepasten, werd hij nog nijdiger.

Met het begin van de grote regens, leek ik ten slotte gewend te zijn geraakt aan de gebeurtenissen. Ik herinner me hoe op een modderig dorpsplein de dorpelingen die niet bepaald van plan waren iets te vertellen, maar ook niet echt iets hádden om te vertellen, urenlang tevergeefs werden geslagen en daar doorweekt moesten blijven staan. De jachtpartijen zelf verloren gaandeweg hun glans en werden korter. Af en toe schoten we nog wel eens een schoonogige gazelle, wat de Padisjah altijd droevig stemde, of een flink wild zwijn, maar we hadden er uiteindelijk geen van allen ons hoofd meer echt bij. We dachten alleen nog aan de ondervragingen, die grondig en lang tevoren werden voorbereid. Vaak stortte de Hodja 's nachts zijn hart bij mij uit, alsof hij zich schuldig voelde over wat ze overdag hadden gedaan. Hij voelde zichzelf eigenlijk ook niet helemaal lekker over de gebeurtenissen en vooral niet over het geweld, maar zoals hij keer op keer zei: hij wilde alleen maar bepaalde wetenschappelijke kennis staven, kennis die voor ons allen nuttig zou zijn, en dát wilde hij ook aan de sultan laten zien. Later was het: waarom verborgen die dorpelingen de waarheid toch ook? Weer later zei hij dat we dezelfde ervaring nu maar eens in een van de moslimdorpen moesten opdoen. Maar dat leverde niks op. Ondanks het feit dat de mensen uit dit dorp vrijwel zonder pressie verhoord werden, kwam er bij hen niets anders uit dan bij hun christelijke buren, dezelfde drie, vier kleine zondes en zelfs dezelfde verhalen. Het was een van die vreselijke dagen waarop het maar bleef regenen. De Hodja mompelde iets tussen zijn tanden van dat het geen ware moslims waren, maar 's avonds tijdens zijn gebruikelijke uitleg van de gebeurtenissen van die dag, zag ik, dat hij wel degelijk had opgemerkt dat de waarheid de sultan niet was ontgaan.

Dit deed zijn woede nog toenemen en met een laatste sprankje hoop nam hij nog meer zijn toevlucht tot het gebruik van geweld. Hier was de sultan overigens duidelijk ook niet voor zijn genoegen getuige van, maar, misschien net als bij mij, zijn nieuwsgierigheid was groter. Al verder optrekkend naar het noorden, waren we in een streek gekomen, waar de dorpelingen weer een Slavische taal spraken; in een lieflijk dorpje zagen we de Hodja een knappe jongeman, die zich niets anders kon herinneren dan een kinderleugentje, met zijn eigen handen aftuigen. Naderhand zei hij dat hij dát nooit meer zou doen, en 's avonds werd hij overweldigd door een zonderling schuldgevoel, dat ik zonder meer buiten proportie vond. Soms is het ook of ik de dorpsvrouwen weer zie – dat was tijdens een andere tocht die zich voltrok in een voortdurende gelige regen – hoe ze op een afstand stonden te huilen om wat hun mannen werd aangedaan. Onze helpers waren zo langzamerhand doorkneed geraakt in hun werk, maar leken er tegelijk genoeg van te krijgen. Soms kozen zij al, voordat wij maar de kans kregen, een geschikte kandidaat uit, en die leidden ze dan voor; het gebeurde ook dat onze tolk zelf alvast de eerste vragen stelde, vóór de Hodja eraan te pas kwam. Nu was het ook weer niet zo, dat we helemaal geen interessante slachtoffers tegenkwamen; er waren er, die uit ontsteltenis en angst voor het geweld – het nieuws, naar we hoorden, ging als een lopend vuurtje van dorp tot dorp – of uit vrees voor een ondoorgrondelijke hogere Gerechtigheid, hun bekentenissen lang en breed uitmaten, alsof ze in hun hart al jaren op deze inquisitie hadden gewacht; maar al die verhalen van echtelieden die elkaar bedrogen hadden en van arme dorpelingen die jaloers waren op hun rijke buurman, interesseerden de Hodja niet meer. Hij bleef herhalen dat er een diepere waarheid moest zijn, maar ook híj betwijfelde denk ik bij tijd en wijle, net als wij, of we daar ooit bij zouden kunnen komen. Iedere keer als hij onze twijfel bemerkte werd hij echter witheet van woede en we voelden, de Padisjah ook, dat hij ondanks alles niet van plan was nu op te geven. Misschien kwam het wel daardoor dat wij lijdzaam toekeken toen hij de touwtjes helemaal in eigen handen nam. Toen we hem op een keer, midden in een stortregen, die hem doorweekte, terwijl wij ons ter bescherming hadden teruggetrokken onder een afdakje, urenlang een jongeman zagen ondervragen, die zei zijn stiefvader en stiefbroers te haten daar zij zijn moeder afbeulden, werden we weer wat hoopvoller gestemd; maar later, 's avonds, zei hij dat ook dit weer gewoon zo'n onbeduidend stuk onbenul was geweest, het slechts waard om vergeten te worden, en sloot hiermee het onderwerp af.

We trokken almaar verder op, in noordelijke richting; de marscolonne kwam maar moeizaam vooruit op de modderige wegen, die in de diepe donkere bossen tussen de hoge bergen door slingerden. Ik hield van de koele, sombere lucht die van de dichte dennen- en beukenbossen afkwam, van de verdachte stilte van de mist, die hele onbestemde atmosfeer. Niemand liet de naam vallen, maar ik dénk dat we op de uitlopers van de Karpaten zaten, die ik, als klein kind, wel eens bij mijn vader op een klungelig gemaakte landkaart van Europa, vol gotische kasteeltjes en herten, had gezien. De Hodja had kou gevat in de regen en was ziek, maar toch gingen wij iedere morgen van de hoofdweg af, die extra scheen te slingeren als om de aankomst op het punt van bestemming uit te stellen, en trokken de bossen in. De jacht zelf leek helemaal vergeten; we bleven niet meer aan de oever van een rivier of aan de rand van een kloof talmen om een hert te schieten, maar om de dorpelingen te laten wachten, die zich hadden opgemaakt om ons te ontvangen! Als we dan besloten dat de tijd daar was, trokken wij een van de dorpen binnen, en nadat we hadden gedaan wat ons te doen stond, haastten we ons achter de Hodja aan, die iedere keer wéér niet had gevonden wat hij zocht, maar om zijn wanhoop en de uitgedeelde aframmelingen te vergeten meteen door wilde naar het volgende dorp. Op een keer wilde hij een experiment uithalen; de Padisjah, wiens geduld en nieuwsgierigheid mij toch werkelijk verbaasde, liet daarvoor de benodigde twintig Janitsaren komen; toen stelde de Hodja dezelfde vragen één voor één beurtelings aan die Janitsaren en aan de blonde dorpelingen, die verbouwereerd voor hun huizen stonden opgesteld. Een andere keer nam hij de dorpelingen met zich mee naar de marscolonne, en liet ze ons vehikel zien, dat met vreemd geknars en gekraak zijn uiterste best deed om de soldaten van de sultan op de modderige wegen bij te houden. Hij vroeg wat ze dachten bij het zien van het gevaarte, en liet de legerschrijvers hun antwoorden opschrijven. Maar ten slotte had hij geen kracht meer, misschien kwam het, zoals hij zelf zei, doordat wij werkelijk niet begrepen waar het om ging, misschien kon hij zelf ook niet meer tegen het zinloze geweld en was het vanwege het schuldgevoel dat hem 's nachts overviel, misschien omdat hij genoeg had van het gemor van het leger en de pasja's over het wapen en over wat er in de bossen voorviel, of misschien kwam het alleen maar doordat hij ziek was, ik weet het niet. Hij leek echt uitgeput en op; zijn eens zo luide en krachtige stem ging verloren in gekuch en gehoest, en ook kon hij de vragen, waarop hij de antwoorden uit het hoofd wist, met geen mogelijkheid meer met de oude geestdrift stellen. Wanneer hij 's avonds praatte over de overwinning, over de toekomst, en over dat we ons moesten losschudden en bevrijden, dan was het alsof zijn steeds zwakker wordende stem, zijn eigen woorden niet meer geloofde. Ik herinner me hoe we hem voor de laatste keer in een vaalbleek zwavelkleurig gordijn van regen die opnieuw was begonnen te vallen, een aantal verdwaasde Slavische dorpelingen aan een verhoor zagen onderwerpen, terwijl hij er duidelijk zelf absoluut niet meer in geloofde. Wij waren op een afstand blijven wachten, omdat we het allemaal niet meer konden aanhoren; de dorpelingen staarden in het door de regen gesluierde spookachtige licht, met holle ogen in het natte vlak van een grote spiegel met een vergulde lijst, die de Hodja van hand tot hand liet gaan.

We zijn niet nog eens op een dergelijke 'jacht' gegaan; we waren nu de rivier over en hadden Poolse grond betreden. Ons wapen kon nauwelijks vooruitkomen op de wegen, die almaar modderiger werden van de steeds harder neerplenzende stortregen, en dat drukte enorm op het tempo van de marscolonne, die juist nu snel moest oprukken. De praatjes van de pasja's over ons toch al niet geliefde wapen dat ons alleen maar ongeluk zou brengen en naar de verdoemenis zou helpen, namen in deze periode nog toe. Daarbij kwam dan nog eens, als zout in de wonde, het geklets van de Janitsaren, die aan de experimenten van de Hodja hadden moeten meedoen. Maar, zoals het steeds ging, werd niet zozeer de Hodja, als wel ík van goddeloosheid beticht. En als de Hodja weer eens doordraafde met die poëtische prietpraat van hem waar zelfs de Padisjah genoeg van had, en maar doorging over de noodzaak van het wapen, over de kracht van de vijand, over dat we wakker moesten worden en in actie komen, dan raakten de pasja's die in de tent van de Padisjah naar hem luisterden, er meer en meer van overtuigd dat wij bedriegers waren en het wapen een brenger van onheil. Ze keken naar de Hodja als naar een zieke waarmee het niet goed gaat, maar die nog niet helemaal opgegeven mag worden; mij daarentegen zagen ze als de echte gevaarlijke, de echte schuldige, die de Hodja had opgezet tegen de Padisjah om hem een rad voor ogen te draaien en hem zo die griezelige dingen aan te smeren. 's Nachts, als we ons in onze eigen tent hadden teruggetrokken, sprak de Hodja met de stem van een zieke vol afkeer en woede over hen, net als hij in vroeger jaren over de 'domkoppen' had gedaan, maar nu was er niets meer van zijn vrolijkheid en hoop over, die ons in die jaren overeind hadden gehouden.

Toch zou hij het nog steeds niet zomaar opgeven, dat zag ik wel. Toen ons wapen twee dagen later plotseling in de kleiachtige modder bleef steken, en midden in de marscolonne bleef staan, gaf ik ook mijn laatste hoop op, maar de Hodja, zo ziek als hij was, vocht door. Niemand kwam ons helpen, geen mannen, nog geen paard werd ons te hulp aangeboden. Toen stapte hij regelrecht naar de sultan en kwam terug met maar liefst veertig paarden, hij liet de kettingen van de kanonnen losmaken en zocht een stel mannen bij elkaar; ze ploeterden de hele dag tevergeefs, maar tegen de avond lukte het hem waarachtig, toen hij de paarden nog eens als een razende opzweepte – onder de biddende blikken van de omstanders dat het voorgoed in de modder mocht blijven zitten – om ons reuzeninsekt in beweging te krijgen. Hij bestreed de pasja's na afloop nog wel, die van ons verlost wilden worden en zeiden dat het wapen behalve ongeluk ook militaire problemen met zich meebracht, maar ik voelde dat hij nu ook niet meer in de victorie van het ding geloofde.

's Nachts zaten we in onze tent, ik had mijn luit gepakt, die ik op het laatst nog had meegenomen toen we op veldtocht gingen, en probeerde de boel een beetje van me af te zetten, maar hij pakte hem uit mijn handen en gooide hem in een hoek. Hij zei dat ze mijn hoofd wilden; wist ik dat eigenlijk wel? vroeg hij. Ja, dat wist ik. Hij was, geloof ik, gelukkiger geweest, wanneer ze in plaats van het mijne, zijn hoofd hadden gewild. Dat voelde ik, maar ik zei niets. Ik wilde de luit weer oppakken, maar hij hield me tegen en vroeg me om over ginds, mijn land, te vertellen. Toen ik, net als ik bij de Padisjah had gedaan, een paar kleine verzonnen anekdotes vertelde, werd hij kwaad. Hij had om de werkelijkheid gevraagd, hij wilde ware bijzonderheden horen over mijn moeder, mijn verloofde, mijn broers en zussen. Terwijl ik allerlei 'ware' bijzonderheden vertelde, mompelde hij er in zijn van mij geleerde Italiaans, korte krakkemikkige zinnetjes en geknauwde woorden doorheen, waarvan ik de betekenis nauwelijks kon ontwarren. In de daaropvolgende dagen voelde ik dat hij, bij het zien van de rokende puinhopen van vijandelijke bolwerken die door onze voorhoede waren overmeesterd en in brand gestoken, als in een laatste opflakkering van hoop bezeten raakte door enkele waanzinnige en walgelijke gedachten. Op een morgen trokken we log en langzaam door een gebrandschat dorp; toen hij bij een muur dodelijk gewonde mensen zag liggen, steeg hij van zijn paard en holde naar ze toe. Ik bleef hem vanuit de verte gadeslaan; eerst dacht ik nog dat hij ze hulp wilde bieden. Het leek alsof hij ze naar hun verwondingen had willen vragen, ware er een tolk bij hem geweest; maar toen begreep ik dat hij in een staat van opwinding verkeerde, en ineens was ook de reden van die opwinding mij zonneklaar, hij ging ze heel wat anders vragen. Toen we de volgende dag samen met de Padisjah gingen kijken naar de rechts en links met de grond gelijkgemaakte strategische bolwerken en kleine burchten, kwam dezelfde opwinding weer over hem. En toen hij tussen de ruïnes en het puin van de gebouwen en van de door kanonskogels doorzeefde palissades, een gewonde zag liggen wiens hoofd er nog net aan een draadje bij hing, holde hij onmiddellijk naar hem toe. In het volle besef dat men zou denken dat ik hem tot deze idioterie had overgehaald, ging ik hem direct achterna, opdat hij toch alsjeblieft niet iets gruwelijks zou doen, maar misschien was het ook wel gewoon uit ordinaire nieuwsgierigheid. Het was alsof hij verwachtte dat de gewonden, met hun door kanonskogels en granaten verscheurde en in stukken gereten lichamen, hem nog iets te vertellen hadden, vóór het masker van de dood over hun gezicht zou trekken; wat hem te doen stond, was hun alleen de juiste vragen te stellen; van hén zou hij dan toch die diepe waarheid vernemen, die alles in één klap zou veranderen; maar dichterbij gekomen bleef hij als met stomheid geslagen staan; ik kon me voorstellen hoe hij de wanhoop op die gezichten, die de dood al in de ogen hadden, onmiddellijk vereenzelvigd had met zijn eigen vertwijfeling.

Diezelfde avond vernam hij dat de Padisjah woedend was daar het nog steeds niet gelukt was om de vesting Doppio* in handen te krijgen, en dezelfde opwinding kreeg hem opnieuw te pakken en hij maakte meteen zijn opwachting bij de sultan. Toen hij terugkwam, leek het alsof hij er niet helemaal gerust op was, maar tegelijkertijd niet goed wist waarvoor hij eigenlijk bang moest zijn. Hij had de sultan gezegd dat hij het wapen in de strijd wilde inzetten, dat hij al die jaren aan de vechtwagen had gewerkt voor déze dag. De sultan had, in tegenstelling tot mijn verwachting, gezegd dat de tijd ervoor nu inderdaad gekomen was, maar dat ze toch nog even moesten wachten op pasja Hüseyin de Blonde, die hij al eerder met de belegering had belast. Waarom zou hij dat gezegd hebben? Dit was één van de vragen die de Hodja kwelden en waarvan ik me jarenlang heb afgevraagd, of hij hem nu aan mij stelde of aan zichzelf; hoe dan ook, ik zat net te denken dat ik geen enkele verbondenheid meer met hem voelde, en dat ik genoeg had van al die onrust, toen hij zelf het antwoord gaf: het was vast omdat ze bang waren dat hij zijn aandeel in de overwinning erkend zou willen zien.

Hij deed zijn uiterste best om zichzelf te overtuigen van dit antwoord tot we de volgende middag hoorden dat pasja Hüseyin de Blonde de vesting nog steeds niet had kunnen innemen. Daar de praatjes dat ik een spion en een brenger van onheil was zich sterk hadden verbreid, kwam ik helemaal niet meer naar de tent van de Padisjah. Toen de Hodja die avond, als gewoonlijk, naar hem toe was gegaan om de gebeurtenissen van de dag te duiden, was het hem gelukt dit te doen met verhalen van geluk en overwinning die de Padisjah scheen te geloven. Bij terugkeer in onze tent, straalde hij het optimisme uit van iemand die gelooft dat hij uiteindelijk zelfs de duivel te slim af zal zijn. Ik luisterde naar hem, maar in gedachten verbaasde ik me over de moeite, die hij zich getroostte om zijn optimisme in stand te houden.

Het was het oude liedje, van ons en hen, en van de uiteindelijke overwinning, maar in zijn stem klonk een verdriet door dat ik deze verhalen niet eerder had horen begeleiden; het was alsof hij een oude jeugdherinnering vertelde, die ons allebei welbekend was, omdat we hem samen hadden meegemaakt. Toen ik mijn luit ter hand nam, zei hij er niets van, en ook niet toen ik er stuntelig wat op tokkelde: hij had het over de mooie dagen die we zouden beleven, in de toekomst, dagen dat we de stroom van de rivier in de door ons gewenste richting hadden weten te keren, maar beiden wisten we heel goed dat hij sprak over het verleden. Voor mijn ogen verschenen de statige bomen van een stille achtertuin, fonkelend verlichte warme kamers, een familiegezelschap geschaard rond een eettafel. Voor het eerst sinds jaren gaf hij mij rust; en toen hij zei dat hij hield van de mensen hier, en dat het afscheid hem moeilijk zou vallen, gaf ik hem gelijk. Toen hij, na over deze mensen nog wat doorgemijmerd te hebben, zich ook de domkoppen herinnerde en kwaad werd, gaf ik hem ook gelijk. Zijn optimisme leek me geen pose meer; misschien omdat we alle twee het nieuwe leven voelden dat nu binnen handbereik was, misschien omdat ik dacht, dat ik als ik in zijn plaats was, dezelfde dingen zou doen, ik weet het niet.

De volgende morgen lieten we ons wapen, om het uit te proberen, naar een van de kleine vijandelijke versterkingen in de buurt van onze marsroute gaan, maar beiden wisten we als uit een vreemd voorgevoel dat het niet echt veel uit zou weten te richten. Bij de eerste de beste aanval met de vechtwagen vlogen de honderd man, die de Padisjah als steuntroepen mee had gegeven, alle kanten uit. Sommigen van hen werden door het monster zelf vermorzeld, anderen, die zich buiten bereik van het wapen bevonden werden door de vijand neergeschoten. Het wapen bleef overigens al na enkele misschoten in de modder steken. Het lukte ons niet om de rest, de meerderheid, die uit angst voor het onheil wegvluchtte, weer te verzamelen en op te stellen voor een nieuwe aanval. We moesten beiden hetzelfde hebben gedacht.

Toen de mannen van pasja Hasan de Dikke de kleine versterking vervolgens vlot en zonder veel verlies aan hun kant, in een uur tijd wisten in te nemen, wilde de Hodja, vervuld van een hoop waar ik deze keer toch echt niet meer bij kon, weer op zoek naar de ultieme waarheid, maar het volk van de versterking was tot de laatste man over de kling gejaagd; tussen de brandende ingestorte muren was niemand meer te vinden die nog niet de geest had gegeven. Ik begreep onmiddellijk wat hij wilde toen hij de hoofden zag die op een hoop bij elkaar waren gegooid om naar de Padisjah te worden gebracht; erger nog, ik vond zijn nieuwsgierigheid wel gerechtvaardigd, maar het ging me te ver om er nog langer getuige van te zijn; ik keerde hem mijn rug toe. Toen mijn nieuwsgierigheid het even later won en ik ondanks mezelf, toch weer keek, verwijderde hij zich net van de berg hoofden; ik ben er nooit achtergekomen tot hoe ver hij is gegaan. Bij onze terugkeer in de marscolonne, rond het middaguur, vertelde men dat het nog steeds niet was gelukt om Doppio in te nemen. De sultan was in alle staten geweest en had besloten om pasja Hüseyin de Blonde een goede les te geven: we zouden er met het hele leger heen gaan! Tegen de Hodja had de Padisjah gezegd, dat onze vechtwagen de volgende morgen in de aanval zou worden ingezet, als de vesting niet voor de avond gevallen was. Intussen liet hij een ongelukkige commandant die er niet in was geslaagd in een dag tijd een klein bastion in te nemen, het hoofd afslaan. Merkwaardig genoeg had hij geen enkele aandacht besteed aan het falen – die ochtend – van ons wapen, dat inmiddels de marscolonne weer had ingehaald, of aan de praatjes over naderend onheil. De Hodja had het niet meer over zijn aandeel in de overwinning; hij zei het niet met zoveel woorden maar ik wíst het gewoon. En of ik nu ook eigenlijk zat te mijmeren over het einde van de voormalige oppersterrenwichelaars, of over mijn jeugd en de dieren op onze boerderij, ik wíst, dat door zijn hoofd dezelfde gedachten maalden; ik wíst, dat hij er eveneens van overtuigd was dat alleen het overwinningsbericht van de vesting ons nog zou kunnen redden, en dat hij eigenlijk zelfs dat niet meer geloofde, en er ook niet meer naar verlangde; ik wíst, dat hij een nieuw leven over zich had afgeroepen, samen met het geprevelde gebed van de dappere, plaatselijke priester, bij het zien van het in vlammen opgaande kerkje en de brandende klokketoren in een dorp, dat verwoest en gebrandschat was uit woede over de onneembare vesting, ik wíst, dat de zon die, terwijl we weer verder naar het noorden trokken, achter de beboste heuvels links van ons onderging, hem even sterk als mij vervulde met de sensatie van volmaaktheid. De volmaaktheid van een onderneming die langzaam zijn voltooiing naderde.

Nadat de zon achter de kim verdwenen was en we hadden gehoord dat pasja Hüseyin de Blonde geen succes had gehad, en bovendien dat er behalve Polen, ook te hulp gekomen Oostenrijkers, Hongaren en Kazachen in Doppio waren, zagen we eindelijk de vesting zelf. Hij lag hoog op een heuvel, de ondergaande zon wierp een vage rode gloed op de torens met de vlaggen, maar verder was hij wit, sneeuwwit en zo mooi. Ik merkte bij mijzelf op dat een mens zoiets moois en onbereikbaars slechts in zijn dromen kan zien. In zo'n droom spoed je je voort over een slingerpad door een donker bos, om het licht, het witte bouwwerk boven op de heuvel te bereiken; alsof daar een feest is, waar je bij wilt zijn, alsof daar een geluk wacht, dat je niet wilt mislopen, maar, ook al denk je dat je er nu ieder moment moet zijn, er komt maar geen einde aan de weg. Toen ik hoorde dat er op de vlakte tussen het woud en de voet van de berg, door toedoen van de geregeld buiten zijn oevers tredende rivier, een stinkend moeras was ontstaan, en dat we, ondanks de steun van het kanongeschut en de infanterie, die daar nog wel overheen konden komen, de bergwand op geen enkele manier zouden kunnen nemen, dacht ik na over de weg die ons hierheen had gebracht. Het was alsof alles in elkaar paste, even volmaakt als het beeld van de witte vesting met de erboven zwermende vogels, de gaandeweg donker wordende rotswand en het stille zwarte woud: van allerlei dingen die ik al die jaren als toevallig had beleefd, wist ik nu dat ze noodzakelijk waren geweest, ik wist dat onze soldaten de witte torens van de vesting nooit zouden bereiken, en ik wist dat de Hodja dat alles ook wist. Ik begreep heel goed dat als wij de volgende morgen tot de aanval over zouden gaan, ons wapen onherroepelijk in het moeras zou wegzinken en de mannen erin en eromheen met zich mee de dood in zou sleuren, en dat dan de onheilsverhalen zouden komen, en de angst, en dat ze om de soldaten te sussen, mijn hoofd voor hun voeten zouden willen laten rollen, en ik begreep dat de Hodja dit allemaal net zo voorzag als ik. Ik herinnerde me hoe ik jaren geleden, om hem te prikkelen over zichzelf te vertellen, had gesproken over een jeugdvriendje, met wie ik de gewoonte had ontwikkeld om op hetzelfde moment aan dezelfde dingen te denken, en ik twijfelde er niet aan dat híj nu ook die dingen dacht.

Die nacht kwam hij maar niet terug van de tent van de sultan, waar hij pas laat heen was gegaan. Omdat ik mij heel goed in kon denken wat hij, op het verzoek van de Padisjah om uitleg over de afgelopen dag en de toekomst, hem en de aanwezige pasja's zou vertellen, ging het één ogenblik door mij heen dat hij daar ter plekke vermoord was en dat de beulen vervolgens naar mij toe zouden komen. Daarna fantaseerde ik dat hij wel de tent was uitgelopen, maar, zonder het mij te laten weten, rechtstreeks richting vesting was gegaan, die in het donker met zijn witte muren lag te fonkelen, en dat hij onze wachten, het moeras en het woud al lang gepasseerd was en boven was aangekomen. Zonder eigenlijk erg veel opwinding te voelen, wachtte ik de morgen af terwijl ik ondertussen over mijn nieuwe leven nadacht, tot hij tot mijn grote verbazing ineens toch voor me stond. Dat hij de aanwezigen in de tent inderdaad de dingen had gezegd die ik had vermoed, heb ik pas later, vele jaren later, uit mijn eindeloze en omzichtige gesprekken met degenen die aanwezig waren geweest, kunnen opmaken. Híj vertelde mij niets en was gejaagd, als iemand die zenuwachtig is voor hij op reis gaat. Hij zei alleen dat er buiten een dichte mist was, en ik begreep wat hij ging doen.

Tot aan het ochtendgloren vertelde ik hem over alles wat ik in mijn land had achtergelaten, over ons huis, en hoe hij het er waarschijnlijk zou vinden, over hoe men ons kende in Empoli en in Florence, over mijn moeder, mijn vader, mijn broers en zussen en over hun gewoonten en hebbelijkheden. Ik vertelde hem over de kleine bijzonderheden en eigenaardigheden die mensen nu net van elkaar onderscheiden. Al vertellende, herinnerde ik me dat ik hem het allemaal al eens eerder had verteld, tot de grote moedervlek op de rug van mijn broertje aan toe. In deze verhalen, waarvan ik soms, zoals toen ik ze aan de Padisjah vertelde, of nu, nu ik dit boek schrijf, vermoed dat ze niet de werkelijkheid, maar slechts mijn fantasieën weergeven, geloofde ik tóen zelf helemaal. Dat mijn zusje licht stotterde was trouwens ook echt waar, en dat onze kleren zeer veel knoopjes hadden ook, en het uitzicht dat ik had door het raam, dat op onze achtertuin keek, klopte eveneens. Toen de ochtend was aangebroken bedacht ik waarom ik maar niet genoeg kon krijgen van deze verhalen: ik was ervan overtuigd dat ze ooit vanaf het punt waar ze opgehouden waren voortgezet zouden worden. De Hodja dacht kennelijk hetzelfde, en geloofde met vreugde wat de verhalen van zijn eigen leven zouden worden.

Zonder enige opwinding en zonder iets te zeggen, wisselden we van kleren. Ik gaf hem mijn ring en medaillon dat ik jarenlang voor hem verborgen had weten te houden. In het medaillon zat een portretje van mijn overgrootmoeder en een vanzelf wit geworden haarlok van mijn verloofde; ik geloof dat hij er heel blij mee was, hij hing hem in ieder geval direct om zijn hals. Toen ging hij de tent uit en liep weg. Langzaam, heel langzaam zag ik hem verdwijnen in de stille mist. Het begon al licht te worden, ik had ongelooflijk veel slaap, ik ging in zijn bed liggen en sliep in alle rust en vrede.

11

Mijn boek loopt ten einde. Misschien hebben intelligente lezers al veel eerder besloten dat mijn verhaal afgelopen was en het daarom zelfs al uit handen gelegd. Er was een tijd dat ik die overtuiging ook toegedaan was, en ik heb toen deze bladzijden, die ik jaren geleden heb geschreven, ergens diep weggestopt om ze nooit meer te lezen. In die periode besloot ik mij geheel toe te leggen op de andere verhalen die ik, naast de verhalen voor de Padisjah, puur voor mijn eigen plezier verzon. Liefdesgeschiedenissen over een koopman, die zich overal als een wolf bij de roedel aansluit, en de avonturen die hij beleeft in onherbergzame woestijngebieden en ijzige wouden in landen, die ik nooit heb gezien. Dít boek, déze geschiedenis, dít verhaal wilde ik vergeten. Ook al wist ik dat het na alle dingen die ik had meegemaakt en alle praatjes die ik had gehoord, beslist niet gemakkelijk zou zijn, toch zou ik er misschien op den duur wel in geslaagd zijn. Twee weken geleden echter heb ik het weer te voorschijn gehaald, daartoe verleid door de woorden van iemand die mij was komen opzoeken. Ik besef nu ook heel goed dat van alles wat ik heb geschreven, dít het boek is waar ik het meeste van houd, ik zal het afmaken zoals het behoeft, zoals ik het wil en zoals ik het me heb ingedacht.

Vanaf onze oude tafel waaraan ik ben gaan zitten om dit boek af te maken, zie ik een zeilbootje onderweg van Cennethisar naar Istanbul, een molen in de verte in de olijfboomgaarden, stoeiende en spelende kinderen achter in de tuin tussen de vijgebomen, de stoffige weg die van Istanbul, Gebze binnenkomt. Ik zie de karavanen, die naar het oosten gaan, lente, zomer, herfst, naar Anatolië, en verder naar Bagdad en Damascus; in de winter is de weg onbegaanbaar door de sneeuw. Het vaakst komen er moeizaam voortzwoegende gammele oude ossewagens voorbij. Soms veer ik even op als ik een ruiter zie aankomen, van wie ik in de verte nog niet kan onderscheiden wie het is, maar als hij dichterbij komt, begrijp ik dat hij niet voor mij kwam: de laatste tijd komt er niemand meer voor mij, ik weet ook dat ze niet meer zullen komen.

Maar ik klaag niet; ik heb geen last van eenzaamheid: ik heb veel geld vergaard in de jaren dat ik oppersterrenwichelaar was, ik ben getrouwd en heb vier kinderen; met een intuïtie die ik vermoedelijk dank aan mijn beroep, heb ik de naderende rampspoeden vroegtijdig zien aankomen, en ben ik op tijd opgehouden met mijn werk. Ik ben naar hier, naar Gebze uitgeweken, lang voordat de legers van de sultan naar Wenen trokken, lang voordat de piassen uit zijn gevolg en ook mijn opvolger, uit woede over de nederlagen, werden onthoofd, lang ook voordat onze zo op dieren verzotte Padisjah van de troon werd gestoten; ik liet dit huis bouwen, en nestelde me er met mijn geliefde boeken, mijn gezin en een paar getrouwe mannen. De vrouw die ik getrouwd heb, toen ik nog oppersterrenwichelaar was, is veel jonger dan ik, ze verstaat het huishoudelijke werk heel goed, ze regelt en bestiert het hele huishouden en daarnaast ook nog wat eenvoudige bezigheden van mij, en ze laat mij – ik begin al naar de zeventig te lopen – de hele dag met rust, alleen in deze kamer, om mijn boeken te schrijven en luchtkastelen te bouwen. Zodoende verlustig ik mij nu, om een passend einde te vinden voor mijn verhaal en mijn leven, ten volle in het nadenken over Hem.

Terwijl ik me in de eerste jaren juist voortdurend inspande om dat níet te doen. De paar keer dat de Padisjah over Hem wilde praten, had hij snel gezien dat het onderwerp me helemaal niet aanstond. Ik geloof dat hij daar eigenlijk ook wel blij om was; hij was enkel nieuwsgierig; maar waarnaar precies, en de mate waarin heb ik nooit helemaal kunnen achterhalen. In die eerste dagen had hij tegen me gezegd dat het niet nodig was me te schamen omdat ik door Hem beïnvloed was, van Hem had geleerd; hij had vanaf het begin af aan geweten dat al die boeken, kalenders en voorspellingen die ik hem had aangeboden, door Hem waren geschreven;

terwijl ik thuis zat te werken aan het ontwerp van ons wapen dat nu voorgoed in het moeras was weggezonken, had hij dat ook wel eens tegen Hem gezegd; hij wist ook dat Hij dát weer aan mij had verteld, net zoals ik ook altijd alles aan Hem zei. Misschien waren we allebei in die periode de greep op het geheel nog niet helemaal kwijt, maar ik voelde wel dat de Padisjah steviger grond onder de voeten had. In die tijd dacht ik regelmatig dat hij intelligenter was dan ik, dat hij alles wist wat hij weten moest, en dat hij maar deed alsof, om mij beter in zijn hand te krijgen. Misschien werd deze gedachte voor een deel ingegeven door een gevoel van dankbaarheid. Hij had mij immers gered uit die in het moeras eindigende nederlaag en van de dolle woede van de soldaten, die door de onheilsmare volledig buiten zinnen waren geraakt. Want er waren er inderdaad geweest die, toen zij hadden gehoord dat de ongelovige was gevlucht, zonder dralen míjn hoofd hadden geëist. Die eerste jaren zou ik geloof ik de sultan zonder meer alles hebben verteld, als hij er om had gevraagd. In die tijd deden de praatjes dat ik niet ík zou zijn nog niet de ronde en ik wilde alles wat er gebeurd was zo graag met íemand bespreken. Ik miste Hem.

Daarbij kwam dat ik helemaal niet tegen het leven in mijn eentje kon in dat huis, waar wij zoveel jaren samen hadden gewoond. Mijn zakken waren nu gevuld met geld, en zo werd ik een geregeld bezoeker van de slavenmarkt; er gingen maanden overheen, voor ik vond wat ik zocht. Ten slotte kocht ik een arme stakker, met als voornaamste kenmerk dat hij niet te veel op mij leek, en dus ook niet op Hem, en ik nam hem mee naar huis. Toen ik hem die nacht zei dat hij mij alles moest leren wat hij wist en dat hij me moest vertellen over zijn land en zijn verleden, en voorts dat hij al zijn slechte daden op tafel moest gooien, en toen ik hem dan ook nog eens voor de spiegel haalde, werd de man steeds banger voor me. Het was een vreselijke nacht, ik kreeg medelijden met de arme ziel en wilde hem de volgende ochtend het liefst zijn vrijheid teruggeven, maar mijn gierigheid hield me tegen. Ik nam hem dus maar weer mee en verkocht hem terug aan de slavenmarkt. Vervolgens besloot ik te gaan trouwen en stuurde dat bericht de buurt in. Er kwamen meteen mensen op af, blij, omdat ze dachten dat ik eindelijk geen vreemde eend meer in de bijt zou zijn en er rust zou komen in de straat. Ik was ook tevreden dat ik nu zo op hen leek, ik was optimistisch en dacht dat het met de roddels ook wel snel afgelopen zou zijn, en dat ik mijn leven in lengte van dagen in rust en vrede zou kunnen slijten met het verzinnen van verhalen voor de Padisjah. Ik koos mijn vrouw zorgvuldig uit: ze kan zelfs luit spelen, wat ze 's avonds vaak voor me doet.

Toen de geruchten opnieuw de kop opstaken, dacht ik eerst dat het weer een nieuw spelletje van de Padisjah was, want ik had wel gemerkt dat hij er genoegen in schepte me vragen te stellen die me in verwarring brachten om te zien hoe zenuwachtig ik werd. De eerste keren dat hij me met zoveel woorden dingen zei als 'kennen wij onszelf wel, een mens moet goed weten wie hij is' had ik me nog niet erg ongerust gemaakt; ik was ervan overtuigd dat deze ergerlijke vragen hem ingefluisterd werden door een van de piassen waarmee hij zich opnieuw was gaan omringen, een wijsneus met belangstelling voor Griekse filosofie. Ik schreef mijn laatste boek voor de Padisjah toen hij me vroeg over dit onderwerp eens het een en ander te schrijven, en verhaalde van gazellen en mussen die gelukkig zijn, daar zij nooit bij zichzelf stilstaan en geen idee hebben wie ze zijn. Toen ik hoorde dat hij het boek met plezier had gelezen én uiterst serieus had genomen, haalde ik weer wat rustiger adem, maar al gauw bereikten de roddels mij nu ook rechtstreeks: ik hield de sultan zeker voor een onnozele domoor, want ik léék niet eens op degene, wiens plaats ik had ingenomen. Hij was veel magerder en tengerder geweest, terwijl ik toch behoorlijk corpulent was; ze hadden echt wel door dat ik zat te liegen als ik zei dat ik niet wist wat Hij allemaal wist. Ik zou er vast ook op een goede dag tijdens een veldslag vandoor gaan, na eerst flink wat onheil te hebben gesticht, en dan, net als Hij, de militaire geheimen aan de vijand doorgeven om zo de nederlaag in de hand te werken, enz. enz.! Om me te beschermen tegen deze praatjes, waarvan ik nog steeds vermoedde dat de sultan er verantwoordelijk voor was, trok ik mij helemaal terug uit het openbare leven, ging niet meer naar feesten en partijen, slankte drastisch af, en zorgde, door links en rechts mensen slinks uit te horen, dat ik erachter kwam wat er nu eigenlijk allemaal besproken was die laatste nacht in de tent van de Padisjah. Mijn vrouw schonk mij het ene kind na het andere, mijn inkomen was goed, en ik wilde de geruchten, Hem en het verleden vergeten en in rust voortgaan met mijn werk.

Bijna zeven jaar hield ik dit vol; en ik was vast tot het einde toe zo doorgegaan, als mijn zenuwen sterker waren geweest en als ik niet voorvoeld had dat er in de omgeving van de sultan een nieuwe zuivering stond te gebeuren; ineens zag ik mijzelf door de deuren die de Padisjah voor mij openhield, terugstappen in het omhulsel van mijn oude identiteit, de identiteit die ik uit alle macht had willen vergeten. Aanvankelijk gaf ik met een zekere onverschilligheid antwoord op zijn vragen naar mijn identiteit, die me overigens wel onrustig maakten. 'Wat maakt het uit wie men is,' zei ik dan, 'belangrijker is wat we doen en wat we nog zullen doen.' En het was deze deur vermoed ik, waardoor de Padisjah de afgesloten kast van mijn verstand binnendrong! Wanneer hij me vroeg te vertellen over het land waar Hij heen was gevlucht, over Italië, en ik zei dat ik daar niet zoveel van wist, dan werd hij kwaad: Híj had hem ooit zelf gezegd, dat Hij mij alles had verteld, en bovendien, waar was ik eigenlijk bang voor, ik hoefde toch alleen maar een beroep te doen op mijn geheugen voor alles wat Hij me had verteld. En zo gebeurde het dat ik de sultan opnieuw het verhaal vertelde van Zijn jeugd en al Zijn mooie herinneringen, waarvan ik een deel ook in dit boek heb opgenomen. Aanvankelijk hadden mijn zenuwen het nog niet te zwaar te verduren, de sultan luisterde op gepaste wijze naar me, zoals men naar iemand luistert die slechts doorvertelt wat hij van een ander heeft gehoord, maar op een gegeven moment ging hij verder; uiteindelijk luisterde hij naar wat ik vertelde, alsof hij Hém aanhoorde: hij vroeg details, die absoluut alleen Híj maar zou kunnen weten, en beval me dan niet te bang te zijn en het eerste het beste antwoord te geven dat in me opkwam. Na welke gebeurtenis was het stotteren van Zijn zusje begonnen? Waarom was Hij niet aangenomen op de Universiteit van Padua? Welke kleur hadden de kleren van Zijn broer gehad bij het eerste grote vuurwerk dat Hij in Venetië had gezien? En over al die bijzonderheden kon ik, alsof ik het zelf allemaal had meegemaakt, uren en uren vertellen terwijl de Padisjah en ik een boottochtje maakten, of aan de rand van een vijver vol waterlelies en kikkers of voor de zilveren kooi van die schaamteloze apen stonden, of in een van die tuinen vol gemeenschappelijke herinneringen rondwandelden, omdat we daar ooit samen hadden gelopen. Dan kwam de Padisjah, die genoot van de verhalen en van het spel der opengaande bloemen in de tuin van ons geheugen, nog dichter bij mij zitten of lopen, en had het over Hem als miste hij een oude vriend die ons in de steek had gelaten: in die tijd zei hij dat het ook maar goed was dat Hij ervandoor was gegaan, want hij had werkelijk ernstig moeten overwegen Hem te laten doden omdat hij, al had de man hem ook nog zo vermaakt, Zijn arrogantie niet meer kon verdragen. Toen deed hij me enkele confidenties, die mij angst aanjoegen, omdat ik niet goed kon uitmaken over wie van ons beiden hij het nu eigenlijk had, maar in zijn stem klonk liefde, geen kwaadheid. Er waren dagen geweest, zei hij, dat hij bang geweest was dat hij Zijn onkunde niet langer zou kunnen verdragen en Hem in drift zou laten doden en die laatste nacht had het maar een haartje gescheeld, of hij had de beulen geroepen! Toen zei hij dat ik daarentegen niet arrogant was; ik beschouwde mezelf toch ook niet als de meest intelligente en meest begaafde mens op deze wereld; ik had het toch ook niet in mijn hoofd gehaald om de pestepidemie zo te duiden dat ik er zelf van kon profiteren; ik had toch niemand slapeloze nachten bezorgd met verhalen over kinderkoningen die aan palen werden gespietst; ik had toch ook niemand thuis, naar wie ik, na de dromen van de sultan aangehoord te hebben, toe holde om ze door te vertellen en samen te bespotten; en ik had toch ook niemand om samen vermakelijke en absurde verhalen mee te schrijven, teneinde hem voor de gek te houden! Wanneer ik dit hoorde, kwam het me voor dat ik mezelf en ons tweeën van buitenaf zag, als in een droom, en kreeg ik het gevoel dat het touw uit onze vingers was geglipt. De laatste maanden deed de sultan er nog een schepje bovenop, het leek wel alsof hij mij gek wilde maken: ik was niet zoals Hij, ik had toch ook niet, zoals Hij, mijn verstand laten dwalen in drogredeneringen over 'hen en ons'! Mijn satan, ja, nu ging hij jaren en jaren terug, naar de vuurwerkvertoning die wij samen hadden georganiseerd en waar hij, de Padisjah, acht jaar oud toen en nog voordat hij ons kende, vanaf de andere oever naar had staan kijken, mijn persoonlijke satan dus, die toen voor Hem de satan van het vuurwerk aan de donkere hemel naar de overwinning had geleid, die was vast met Hem samen naar het land gegaan waar Hij geloofde rust en vrede te zullen vinden, en die was nu vast met Hem samen! Weer later kon de sultan, tijdens onze zich geregeld herhalende tuinwandelingen, dan ineens omzichtig vragen: moest je soms Padisjah zijn, om te begrijpen dat de mensen, waar ook ter wereld, allemaal op elkaar lijken? Ik zweeg angstig; maar, als om mijn laatste weerstand te breken, vroeg hij het nog eens: was niet het beste bewijs dat mensen overal eender zijn, het feit dat ze gewoon elkaars plaats kunnen innemen? Eindelijk raakte hij de spijker midden op de kop: het kaartenhuis stortte ineen!

Gewend als ik was aan de voortdurende angst en onzekerheid, zou ik dit alles misschien best nog een tijd hebben kunnen verdragen, in de hoop dat het de sultan en mij samen zou lukken Hem te vergeten, en niet in de laatste plaats in de hoop in de tussentijd nog wat meer geld te vergaren. Op een dag echter, toen we de weg kwijt waren geraakt in een woud bij de jacht op een haas, forceerde de Padisjah als terloops zonder enig blijk van mededogen de toegangspoorten tot mijn verstand, en deed dat bovendien in aanwezigheid van al zijn volgelingen; hij had zich weer omringd met zijn geliefde piassen, en ik was bang, omdat ik voelde dat er een nieuwe zuivering dreigde en er beslag zou worden gelegd op ons aller have en goed, en omdat ik een sterk voorgevoel had van naderend onheil. Die dag liet hij me vertellen over de bruggen van Venetië, over de gehaakte randen van het kleed van de tafel waaraan Hij in Zijn kindertijd had ontbeten, en over wat Hij allemaal had kunnen zien vanuit het raam dat uitkeek op de achtertuin van

Zijn huis, alles wat door Hem heen moest zijn gegaan op het moment dat ze Hem met onthoofding dreigden als Hij geen moslim werd, maar toen hij me vervolgens opdroeg over dit alles een boek te schrijven, maar dan alsof het mijn éigen verhalen waren over wat ik zélf had meegemaakt, besloot ik dat het beter was zo spoedig mogelijk uit Istanbul weg te vluchten.

We vestigden ons weer in Gebze, maar, om Hem te vergeten, wel in een ander huis. De eerste tijd was ik bang dat er mannen van het Paleis zouden komen om me mee te nemen, maar er was helemaal niemand die me zocht of naar me vroeg, en ze kwamen ook niet aan mijn inkomsten; óf ze hadden me vergeten, óf de Padisjah liet me heimelijk in het oog houden. Het kon me niet schelen, ik regelde mijn zaken, liet dit huis bouwen, en legde de achtertuin aan, spontaan zoals het in me opkwam; ik bracht de tijd door met lezen en met het schrijven van vermakelijke verhalen voor mijn eigen plezier, en verder met naar de mensen te luisteren die me opzochten om me te raadplegen, daar ze hadden gehoord dat ik een oude oppersterrenwichelaar was. Dit laatste deed ik niet zozeer voor het geld, alswel omdat ik het leuk vond. Misschien leerde ik het land waarin ik van jongs af aan had geleefd, in die periode nog wel het beste kennen. Ik liet iedereen, alvorens ze de toekomst te voorspellen, uitvoerig over hun leven vertellen: invaliden, mensen die gek waren geworden door het verlies van een zoon, of broer of zus, ongeneeslijk zieken, vaders met overgebleven dochters, mensen die maar niet wilden groeien, jaloerse echtgenoten, blinden, zeelieden, en radeloos met de ogen rollende, reddeloos verliefden; en 's nachts schreef ik alles wat ik had gehoord op in schriften, om het later in mijn verhalen te kunnen verwerken, zoals ik ook in dit boek heb gedaan.

Het was in die jaren dat ik een oude man leerde kennen, die een diep verdriet met zich mee droeg. Hij zal zo'n tien, vijftien jaar ouder zijn geweest dan ik. Zijn naam was Evliya, en uit de smartelijke uitdrukking op zijn gelaat maakte ik direct op dat zijn klacht de eenzaamheid was, maar dat zei hij niet met zoveel woorden. Hij had heel zijn leven gewijd aan reizen en aan het schrijven van een tiendelige reiskroniek, die hij op het punt stond te voltooien en alvorens te sterven wilde hij nog naar Mekka en Medina, de plaatsen het dichtst bij Allah, om daar ook over te schrijven, maar er ontbrak nog iets aan zijn boek en dat stoorde hem. Hij zou zijn lezers zo graag ook vertellen over Italië met zijn veelgeroemde pracht van fonteinen en bruggen; en daar hij van die roemruchte pracht in Istanbul had horen verhalen, kwam hij eens kijken of ik hem er misschien wat meer over kon vertellen? Toen ik zei dat ik Italië nooit had gezien, verklaarde hij dat hij dat, zoals iedereen, ook wel wist, maar ik had vroeger toch een slaaf gehad die dáárvandaan kwam, en die had me vast van alles verteld; als ik die dingen nu vervolgens weer aan hem vertelde, dan zou hij, Evliya, als tegenprestatie mij ook een aantal vermakelijke dingen vertellen: was dat niet de leukste kant van het leven, het verzinnen van leuke verhalen en het luisteren ernaar? Behoedzaam haalde hij een landkaart uit zijn tas te voorschijn, de meest erbarmelijke kaart van Italië die ik ooit had gezien, en ik besloot om hem te vertellen wat hij wilde weten.

Met zijn mollige hand, die aan een kinderhandje deed denken, wees hij op de kaart steeds weer een stad aan, spelde de naam, en schreef dan alles wat ik daar ter plekke bij fantaseerde, zorgvuldig op. Bij iedere stad wilde hij één eigenaardige geschiedenis horen. Zo trokken wij van noord naar zuid in dertien nachten en dertien steden het hele land door, dat ik voor het eerst van mijn leven zag. Na dit karwei, dat een hele ochtend in beslag nam, keerde hij op dezelfde manier nog terug met de boot van Sicilië naar Istanbul. Omdat hij zeer in zijn nopjes was met wat ik allemaal had verteld, besloot hij dat het nu zijn beurt was om mij te plezieren, en hij vertelde over de luchtacrobaten van Akka, die in het blauwe uitspansel verdwenen waren, over de vrouw in Konya die met haar zoon had geslapen en een olifant had voortgebracht, over de roze katten en de stieren met blauwe vleugels aan de oever van de Nijl, over de klokketoren in Wenen, over zijn kunstgebit dat hij daar had laten maken en dat hij me glimlachend liet zien, over de sprekende grot aan de kust van de zee van Azov, en over de rode mieren in Amerika. Ik weet niet waarom, maar deze verhalen deden in mij een vreemd verdriet ontwaken, de tranen kropten in mijn keel en het leek of de rode avondzon mijn kamer in vuur en vlam zette; toen Evliya vroeg of ik misschien ook van die wonderlijke verhalen kende, wilde ik hem overbluffen, en ik stelde hem voor die nacht met zijn mannen bij ons te overnachten. Ik had een verhaal voor hem, waar hij vast van zou houden – over twee mensen die elkaars plaats innamen.

's Avonds laat, toen verder iedereen naar zijn kamer was, en in huis die stilte was neergedaald waar we alle twee zo op hadden gewacht, gingen we terug naar mijn werkkamer. Dit verhaal, dat u nu bijna uit heeft, heb ik toen voor het eerst onder woorden gebracht! De zinnen die ik sprak, regen zich langzaam en gestaag als kralen van een ketting aaneen, alsof het niet een verzonnen, maar een waar gebeurd verhaal was, alsof een ander me alle woorden zachtjes influisterde: 'We waren onderweg van Venetië naar Napels, toen er plotseling Turkse schepen voor onze boeg verschenen...'

Toen mijn verhaal ver na middernacht uit was, viel er een lange stilte. Ik voelde dat wij alle twee, mijn gast én ik, aan Hem dachten, maar Evliya had een totaal andere Hij in zijn hoofd dan ik. Hij dacht aan zijn eigen leven, daar ben ik zeker van! En ik dacht aan míjn leven, aan Hem, en hield van mijn verhaal; ik voelde ook trots over alles wat ik had beleefd en bij elkaar had gefantaseerd. De kamer waarin wij zaten, was boordevol verdrietige herinneringen aan wat wij beiden ooit hadden willen worden en wat er feitelijk van ons geworden was; op dat moment was het mij zonneklaar dat ik Hem nooit meer zou kunnen vergeten, en dat dat me tot het eind van mijn leven ongelukkig zou maken, maar ik wist nu ook dat ik nooit meer alleen zou zijn. Het was alsof er met mijn verhaal om middernacht een betoverende maar onrustwekkende schaduw in de kamer was neergestreken, die ons allebei met weemoed vervulde. Tegen de morgen maakte mijn gast mij gelukkig met de opmerking dat hij mijn verhaal prachtig had gevonden, maar, zo voegde hij er daarna aan toe, hij wilde toch wel hier en daar wat opmerken. Ik hoorde hem zeer aandachtig aan, vooral ook om die zenuwslopende herinnering aan ons tweeën terug te dringen en zo snel mogelijk de draad van mijn huidige leven op te pakken.

We moesten, volgens hem, inderdaad op zoek gaan naar zulke bizarre en verbazingwekkende gebeurtenissen als die in mijn verhaal: ja, het was misschien wel het enige dat wij konden doen tegen de misselijkmakende saaiheid van het bestaan; omdat hij hier al in zijn kindertijd en schooljaren van overtuigd was geraakt – dezelfde dingen herhaalden zich toen al voortdurend – had hij de gedachte niet kunnen verdragen tussen vier muren opgesloten te moeten leven, en dat was de reden waarom hij zijn hele leven had gewijd aan het zoeken naar verhalen, op verre reizen en op nooit eindigende wegen. Het was hem duidelijk dat we dat vreemde en verbazingwekkende in de wéreld moesten zoeken, en niet in onszelf! Zoeken naar wat in onszelf zit, al te uitvoerig nadenken over onszelf kon ons alleen maar ongelukkig maken. In mijn verhaal was het dat immers ook precies geweest wat de hoofdpersonen was overkomen. Dat was de reden waarom mijn helden het niet konden verdragen gewoon zichzelf te zijn en steeds een ander wilden zijn. Toen zei hij: 'Laten we ons nu eens voorstellen alsof wat er in dit verhaal plaatsvond, allemaal werkelijk zo gebeurd is', en hij vroeg of ik geloofde dat die mensen, die elkaars plaats in hadden genomen, in hun nieuwe leven gelukkig zouden kunnen zijn? Ik zei niets. Toen wees hij me onverwacht terecht met een klein detail uit mijn verhaal. Het kon toch niet zo zijn dat we ons lieten inpakken door de hoop van een Spaanse slaaf met een afgerukte arm! Als wij ons overgaven aan het schrijven van dergelijke verhalen en het zoeken naar het bizarre in onszelf, werden wij, Allah beware ons, echt nog eens andere mensen, en onze lezers ook. Wat een verschrikkelijke wereld waarin de mensen het altijd alleen maar over zichzelf en hun eigen eigenaardigheden zouden hebben, en de boeken en verhalen ook altijd alleen maar daarover zouden gaan. Hij wilde zich er zelfs geen voorstelling van maken.

Maar ík wilde dat wél! Daarom ben ik, toen die kleine, broze oude man, van wie ik in één dag al zoveel was gaan houden, bij het aanbreken van de dag zijn mannen bijeenriep en zich met opgewekt gemoed op weg naar Mekka begaf, meteen gaan zitten om mijn boek te schrijven. Ik stopte het, zoveel ik maar kon, vol met ontboezemingen over mijzelf en over Hem, die ik niet van mijzelf kon onderscheiden. Wellicht deed ik dat om me de mensen van die verschrikkelijke wereld van de toekomst beter te kunnen voorstellen, maar toen ik de afgelopen dagen dit boek, dat ik zestien jaar geleden abrupt aan de kant had gelegd, opnieuw las, bedacht ik dat er toch nog wel het een en ander in de pen was blijven zitten. Daarom voeg ik er nu het volgende stuk aan toe, waarbij ik lezers die het niet leuk vinden als iemand over zichzelf praat–en al helemaal niet als die persoon zich laat gaan in emotionele uitbarstingen–om excuus vraag.

Ik híeld van Hem, zoals ik houd van mijn eigen jammerlijke en hulpeloze verschijning, die ik in mijn dromen zie al word ik ook verstikt door de schroom, de woede, de schuld en het verdriet van deze verschijning, al word ik bevangen door schaamte tegenover een smartelijk stervend wild dier, terwijl ik woedend kan razen en tieren over de brutaliteit van mijn zoon; ik hield van Hem zoals ik mezelf ken met een stompzinnige afkeer en een even stompzinnige vreugde; en misschien nog het meest zo: zoals ik gewend ben aan het heen en weer fladderen van mijn handen en armen, loos en ongericht als bij een insekt, en zoals ik mijn gedachten ken, die iedere dag weer opflakkeren en uitdoven tussen de muren van mijn verstand, en zoals ik de unieke vochtgeur van mijn erbarmelijke lichaam ken, en ik mijn dorre haren ken, en mijn lelijke mond, en mijn roze hand, die mijn pen vasthoudt, ja, precies zó houd ik van Hem: en daarom hebben ze mij er ook nooit in kunnen laten lopen. Ik heb nooit iets geloofd van alle geruchten die de kop opstaken, nadat ik mijn boek had geschreven en in een hoek had gegooid om Hem te vergeten; ik ben nooit in de spelletjes getrapt van die lieden die over ons hadden gehoord en ervan wilden profiteren! Jawel, Hij zou in Caïro onder de beschermende vleugels van een pasja een ontwerp voor een nieuw wapen hebben gemaakt! Hij zou tijdens de 'Catastrofe van Wenen' in die stad zijn geweest, en de vijand met raad en daad hebben bijgestaan teneinde onze nederlaag te bespoedigen! In Edirne hadden ze Hem gezien in de gedaante van een bedelaar, Hij zou in een gildestrijd die Hij Zelf had uitgelokt een dekbeddenmaker hebben doodgestoken en toen spoorloos zijn verdwenen! Hij zou imam zijn geworden in een buurtmoskee in een afgelegen Anatolisch stadje en Hij zou er een Getijdenkamer hebben opgericht, en degene die dit vertelde, zwoer erop: Hij zou ook begonnen zijn met geld in te zamelen voor een klokketoren! Hij zou de pest naar Spanje hebben gevolgd en daar rijk geworden zijn met het schrijven van boeken! Ze zeiden zelfs dat Híj de aanstichter was geweest van de politieke intriges, die die arme Padisjah van de troon hadden gestoten! Hij zou als een legendarische, epileptische priester op handen worden gedragen in Slavische dorpen, waar Hij eindeloos luisterend naar de ware bekentenissen die Hij eindelijk los had weten te krijgen, beklemmende boeken over doem en rampspoed schreef! Hij zou door Anatolië trekken en verkondigen dat Hij domme padisjahs ten val zou brengen, met in Zijn kielzog een in de ban van Zijn voorspellingen en gedichten verkerende bende; en Hij riep mij ook bij zich! In de zestien jaar dat ik verhalen schreef om Hem te vergeten en afleiding te vinden bij die verschrikkelijke mensen van de toekomst en hun even verschrikkelijke wereld, hoorde ik ook nog wel andere geruchten dan deze, maar ik geloofde er niet een van. Was het soms niet zo dat we, toen we die vier muren aan de oever van de Gouden Hoorn voor elkaar tot een kerker maakten, en we wachtten op een almaar niet komende oproep van een herenhuis of van het Paleis, terwijl we met zoveel genot van elkaar walgden, en we met een knipoog naar elkaar de zoveelste verhandeling voor onze Padisjah schreven, ineens alle twee precies op hetzelfde moment gegrepen konden worden door iets heel kleins uit het leven van alledag. Een natte hond, die we 's ochtends samen zagen, de geheime geometrie van kleur en vorm van een lijn wasgoed tussen twee bomen, een verspreking die onverwachts de symmetrie van het leven aan het licht bracht! Dat is het wat ik nu zo mis! Hierom ben ik teruggekeerd naar het boek van mijn schaduw, het boek, waarvan ik zeker geloof dat op een keer, misschien jaren, misschien wel eeuwen na Zijn dood, iemand het met nieuwsgierigheid zal lezen. Bij het lezen zal hij ongetwijfeld meer dan over ons, dromen over zijn eigen leven; het boek–overigens zal ik het me ook niet erg aantrekken, als niemand het leest–waarin ik Zijn naam heb verstopt en begraven, al is het dan niet bepaald diep; ik keerde terug naar dit boek, om alles opnieuw mijn verbeelding te kunnen laten passeren: de nachten van de pest, mijn kindertijd in Edirne, de mooie uren die ik doorbracht in de tuinen van de Padisjah, en de rilling die ik over mijn rug meende te voelen gaan toen ik Hem met Zijn baardeloze kin voor het eerst zag in de deuropening bij de pasja. Om ons verloren leven en onze verloren dromen opnieuw in handen te krijgen, weet iedereen toch dat het nodig is ze opnieuw te dromen. Ik geloofde in mijn verhaal!

Ik zal mijn boek beëindigen met te vertellen over de dag dat ik besloot het af te maken: twee weken geleden, toen ik weer aan onze tafel zat en probeerde een of ander verhaal te bedenken, zag ik van de kant van Istanbul een ruiter komen. De laatste tijd kwam er nooit meer iemand om me nieuws te brengen over Hem, en dat zou, dacht ik, ook wel niet meer gebeuren, daarvoor had ik zelf te lang stommetje gespeeld, maar zodra ik hem zag, wist ik dat deze reiziger, met zijn vreemde cape en met een parasol in de hand, voor mij kwam. Al voordat hij mijn kamer binnenkwam, had ik het gehoord. Ook al was het niet zo sterk als bij Hem, toch sprak de man het Turks met Zijn fouten, zo gauw hij in mijn kamer was, stapte hij over op Italiaans. Toen hij mijn gezicht zag betrekken en merkte dat ik hem geen antwoord gaf, zei hij in gebroken Turks dat hij dacht dat ik, al was het misschien weinig, wel Italiaans kende. En hij stak van wal: hij had van Hem mijn naam gehoord en wie ik was. Nadat Hij in Zijn land was teruggekeerd, had Hij een hele stapel boeken geschreven, over de ongelooflijke avonturen die hij bij de Turken had meegemaakt, over de laatste Padisjah van de Turken, die zo van dieren hield en over diens dromen, over de Turken en de pest, en over de paleis- en de krijgstucht. Wat Hij schreef werd met grote belangstelling ontvangen, Zijn boeken werden veel gelezen, vanwege de recentelijk opbloeiende nieuwsgierigheid naar de betoverende oriënt onder aristocraten en in het bijzonder onder de deftige dames; Hij had ook colleges gegeven op de academies, en was nu een rijk man. Bovendien was Zijn oude verloofde, geheel in de ban van de romantiek van Zijn verhalen, van haar echtgenoot gescheiden, ondanks haar leeftijd; zij waren getrouwd en hadden het oude familiehuis, dat verkocht en vervallen was, weer teruggekocht en zich erin gevestigd; het huis en de tuin hadden ze in de oude staat hersteld. Mijn bezoeker wist dit alles omdat hij Hem in Zijn huis een bezoek had gebracht daar hij een groot bewonderaar was van Zijn boeken. Hij was bijzonder hoffelijk geweest en had een hele dag aan mijn bezoeker besteed, Hij had zijn vragen beantwoord en de verhalen uit Zijn boeken nog eens voor hem herhaald. En toen had Hij het dus ook uitgebreid over mij gehad: Hij was bezig aan een boek over mij, met de titel *Een Turk die ik van dichtbij kende*. Mijn hele leven, van mijn kinderjaren in Edirne tot aan de dag van ons uiteengaan, doorspekt met Zijn spits geschreven persoonlijke commentaren op de eigenaardigheden der Turken, stond op het punt aangeboden te worden aan de geïnteresseerde Italiaanse lezer. 'Maar, wat heeft u ook veel over uzelf aan Hem verteld!' riep mijn gast uit. Daarna haalde hij om mij te verrassen wat bijzonderheden aan uit het boek, waar hij al een paar pagina's van had mogen lezen: toen ik klein was had ik, na een van mijn vrienden ongenadig te hebben geslagen, erbarmelijk gehuild omdat ik me schaamde over wat ik had gedaan, ik was intelligent, ik had me in zes maanden de hele astronomie eigen gemaakt, die ik van Hem had geleerd, ik hield heel veel van mijn zus, ik was zeer toegewijd aan mijn geloof, deed altijd de gebeden, ik was gek op morellenjam, ik had een speciale belangstelling voor het vak van mijn stiefvader, de dekbeddenmakerij, ik hield, zoals alle Turken, veel van mensen, enz. enz. Omdat ik mij na zoveel getoonde belangstelling in mijn persoon onmogelijk meer koel kon gedragen tegenover deze dwaas, liet ik hem mijn huis kamer voor kamer zien, daar ik wist dat zulke mensen daar nieuwsgierig naar waren. Daarna keek hij in de tuin met interesse naar de spelletjes die mijn zoontjes en hun vrienden speelden; hij schreef de spelregels in een schrift op van niet alleen het pinkelen, wat ze op dat moment aan het doen waren, maar ook van de spelletjes waar hij ze over liet vertellen, van blindemannetje en bokjespringen en een variant hierop, ezeltje-strekje, dat hij overigens niet zo kon waarderen. Toen zei hij ook, dat hij een vriend van de Turken was. Toen ik hem na het middageten, omdat ik niets anders met hem wist te doen, verder onze tuin liet zien, en daarna Gebze en het huis waar ik jaren geleden met Hem had gewoond, zei hij hetzelfde weer. Later, terwijl we voorzichtig in onze voorraadkamers, die hij heel interessant vond, tussen de potten jam en ingelegd zuur en de kruiken olijfolie en azijn door manoeuvreerden, begon hij te praten, eerst aarzelend alsof hij een geheim prijsgaf, maar steeds zekerder van zichzelf, toen hij mijn olieverfportret had gezien, dat ik door een Venetiaanse kunstschilder had laten maken: Híj was eigenlijk helemaal geen echte Turkenvriend en had over de Turken verschrikkelijke dingen geschreven: zo schreef Hij dat het alleen maar bergafwaarts met ons ging, Hij sprak over de inhoud van onze hoofden alsof Hij het had over een kast vol vieze oude troep. Er was geen hoop meer voor ons tenzij we zo snel mogelijk ons hoofd voor hen bogen, en Hij zei dat we vanaf dát moment, eeuwenlang niets anders meer zouden kunnen doen, dan maar blijven imiteren, hoe we onze nek hadden gebogen. Om de woordenstroom van de man te stoppen, zei ik snel: 'Maar Hij wilde ons redden,' waarop hij zei: ja, daarom had Hij een wapen gemaakt, maar wij schenen Hem niet begrepen te hebben; het vehikel was op een mistige morgen plotsklaps in een afschuwelijk moeras gezakt en erin blijven steken, als het wrak van een vervaarlijk kaperschip, dat in de storm op de rotsen is gelopen. Toen voegde hij er nog aan toe: ja, Hij had ons willen redden, dat had Hij zeker graag gewild. Maar dat betekende nog absoluut niet, dat daar geen satanische slechtheid in schuilde. Alle genieën waren immers zo! Hij had intussen mijn portret in zijn handen genomen en bekeek het aandachtig van dichterbij en mompelde tegelijkertijd nog wat over genialiteit: als Hij niet als slaaf in onze handen was gevallen en Zijn hele leven in eigen land zou hebben doorgebracht dan was Hij misschien wel de Leonardo van de zeventiende eeuw geworden. Daarna keerde hij weer terug naar het onderwerp waar hij kennelijk nogal van hield: Zijn slechtheid en hij vertelde een paar lelijke roddels die over Hem de ronde deden in verband met geld, maar die me niet zijn bijgebleven. 'Het vreemde is,' zei hij toen, 'dat u helemaal niet door Hem bent beïnvloed!' Hij had me nu een beetje leren kennen en vond me sympathiek en hij verklaarde zijn verbazing nader: hij kon niet begrijpen hoe het mogelijk was dat twee mensen die zoveel jaren samen hadden geleefd, zo weinig op elkaar leken. Hij vroeg niet, zoals ik had gevreesd, of hij mijn portret mocht hebben, hij zette het terug en vroeg: kon hij ook de dekbedden zien? 'Welke dekbedden?' zei ik volkomen leeg. Enigszins verward, vroeg hij toen: 'Maar brengt u uw vrije uren dan niet door met het stikken van dekbedden?' Dat was het moment waarop ik besloot het boek, dat ik in zestien jaar niet meer in mijn handen had genomen, aan hem te laten zien.

Hij werd zeer opgewonden bij het idee en verklaarde nadrukkelijk dat hij Turks kon lezen en dat hij natuurlijk verschrikkelijk nieuwsgierig was naar een boek dat op Hem betrekking had. We gingen naar boven, naar mijn werkkamer, die op de achtertuin uitkijkt. Hij ging aan onze tafel zitten, en ik vond mijn boek, na zestien jaar, op de plek waar ik het had weggestopt, alsof ik het er gisteren had neergelegd; ik deed het open en legde het voor hem. Hij kon het Turks, al ging het moeizaam, inderdaad lezen. Met het verlangen, dat ik steevast bij reizigers waarneem en dat me eerlijk gezegd kwaad maakt, zich te laten verbazen, zonder daarbij de eigen vertrouwde en veilige wereld los te hoeven laten, begroef hij zich in mijn boek. Ik liet hem alleen, ging naar de tuin en ging op de rieten bank zitten, op een plek zo dat ik hem, in het open raam, kon zien. Eerst was hij heel vrolijk, en riep naar me door het raam: 'Het is wel héél duidelijk, dat u nog nooit een voet in Italië hebt gezet!' Later echter vergat hij mij volkomen; drie uur zat ik daar in de tuin te wachten tot hij het boek uit zou hebben en keek af en toe met een schuin oog naar hem. Toen hij het uit had, had hij het begrepen; zijn gezicht was een toonbeeld van verwarring en verbijstering; een paar keer kreet hij de naam uit van de witte vesting voorbij het moeras dat ons wapen had verzwolgen en begon zomaar in het wilde weg Italiaans te praten. Daarna richtte hij zijn blik diep in gedachten verzonken naar buiten, om alles wat hij gelezen had te verwerken en om bij te komen. Ik vond het mooi om te zien, in het begin keek hij, zoals mensen in zulke situaties nu eenmaal doen, naar een punt in het niets, een soort van niet bestaand brandpunt, maar na een poosje zag hij het, zoals ik al verwachtte: en nu keek hij naar wat er te zien viel binnen de omlijsting van het venster. Nee, mijn intelligente lezers hebben het vast al begrepen, hij was niet zo dom als ik eerst had aangenomen. Toen begon hij, zoals ik ook al verwacht had, driftig de bladzijden van mijn boek om te slaan, hij zocht en ik wachtte met plezier af tot hij zover was. Ten slotte had hij inderdaad gevonden wat hij had gezocht en las het opnieuw. Daarna keek hij weer naar wat hij kon zien door dat raam dat uitkijkt op de achtertuin van mijn huis. En wat hij zag, maar natuurlijk, dat wist ik maar al te goed:

Op een tafel stond een met parelmoer ingelegde schaal met perziken en kersen; daarachter een rieten bank, met donzen kussens erop van eenzelfde kleur groen als het raamkozijn en daar zat ik, oude man van tegen de zeventig; verder weg kon hij de olijfbomen en de kersebomen zien met de waterput, waar op de rand een mus was neergestreken. Aan een hoge tak van de walnoteboom daarachter, wiegde een schommel aan lange touwen zachtjes heen en weer in een nauwelijks waarneembaar zuchtje wind.

1984-85

Over: *De witte vesting*

Schrijvers, die even intelligent zijn als hun met liefkozende hand geschreven boeken, kennen hetgene waar ik het nu over ga hebben wel: er zijn van die romans, waarvan, al lopen ze precies op het juiste punt af met een 'einde' dat hun schrijver uitermate bevalt, de helden buiten het boek om hun avonturen in de verbeelding van de schrijver gewoon voortzetten. Sommige negentiende-eeuwse schrijvers hebben in zo'n geval wel geprobeerd die fantasieën in een tweede en derde deel kwijt te raken. Er zijn ook schrijvers die, om niet in de valkuil te lopen van het opnieuw scheppen van een wereld die al geschapen was, aan het einde van hun roman een hoofdstuk toevoegen, dat korte metten maakt met de toekomst van de betreffende helden, als om dat nieuwe en gevaarlijke leven in voortzetting op het boek, een halt toe te roepen en zo kunnen we lezen: 'Jaren later keerde Dorethea met haar beide dochters terug naar de boerderij in Alkingstone...', of: 'De zaken van Razarov zijn ten slotte op orde gekomen, hij heeft nu een goed inkomen, enz.' En dan heb je nog een ander soort boeken: deze leven hun nieuwe leven in de fantasie van hun schrijver verder, echter niet dankzij níeuwe avonturen van hun helden, maar als een logisch vervolg op het verhaal in het boek zelf. Het boek blijft in het hoofd van de schrijver veranderen door nieuwe gedachten, beelden, vragen, het besef van bepaalde gemiste kansen, reacties van lezers en naaste vrienden, herinneringen en eventuele andere projecten van de schrijver. Op het moment dat het beeld van het boek in het hoofd van de schrijver sterk begint af te wijken van het boek dat in de boekhandel wordt verkocht en door de schrijver oorspronkelijk bedoeld werd, en op het moment dat het nieuwe monstrum de schrijver langzamerhand begint te ontglippen, is het tijd om op te halen hoe het eertijds is ontstaan.

De allereerste voorafschaduwing van het idee van *De witte vesting (Beyaz Kale)* speelde, geloof ik, door mijn hoofd in de tijd dat *Cevdet Bey ve Oğulları* (Cevdet Bey en zonen) net af was: het ging over een ziener, die door de blauwe straten van middernacht naar het Paleis loopt, waar hij ontboden is. Het boek heette in mijn gedachten ook zo in die tijd. Mijn ziener houdt zich aanvankelijk goedwillend en 'wetenschappelijk' bezig met zijn werk, maar zijn 'wetenschap' wordt helemaal niet met enthousiasme begroet, en om deze nu voor het Paleis acceptabel te maken, gaat hij zich bezighouden met de kunst van de sterrenwichelarij, waar hij totaal niet van houdt, maar die hij zich door zijn belangstelling voor astronomie gemakkelijk eigen had weten te maken. Eerst doet hij dat tegen zijn zin, maar later slaat zijn hoofd op hol door de kracht en de macht van zijn voorspellingen en begint hij te intrigeren. Verder wist ik het nog niet. Ik hield mij er bewust niet zó sterk mee bezig, omdat ik me in die periode geneerde voor die 'historische' onderwerpen, die maar in mijn hoofd bleven opkomen, en ook geïrriteerd was door de vraag die ikzelf, maar ook anderen mij heel vaak stelden: 'Waarom schrijft u historische romans?'

Ik had al eerder, toen ik drieëntwintig was, drie historische verhalen geschreven, en ook *Cevdet Bey* werd 'historisch' genoemd en het leek erop dat het antwoord op de vraag in mijn geval eerder gezocht moest worden in een psychische geneigdheid dan in een literaire voorkeur. Als ik al een verklaring zou moeten geven, dan deze: toen ik nog klein was, zo'n jaar of acht, was ik op een goede dag van onze etage, waar altijd alles zich voortdurend herhaalde en de radio steevast hetzelfde gejammer uitstootte, naar boven gegaan, naar de verdieping van mijn oma, waar het door de donkere meubels nog eens extra duister was; daar vond ik tussen vergeelde oude kranten en stoffige medische boeken van mijn arts-oom, die nooit uit Amerika was teruggekomen, een groot platenboek samengesteld door Reşat Ekrem Koçu. En zo las ik, op die donkere verdieping, waar ondanks het feit dat er iedere dag urenlang stof werd afgenomen, het stof zich overal meteen weer als schaduwen ophoopte, het verhaal van de arme apen die uit de apenwinkels in Azapkapi werden gehaald en opgehangen waren aan hoge bomen, omdat werd vermoed dat zij werden verkocht als object voor ontucht. Op wasdagen, wanneer iedereen samen met de ziedende wasmachine door water- en groene-zeepwoede bevangen was, kneep ik ertussenuit en bekeek de zwarte pentekeningen van hoertjes uit de Melek Girmez Straat, die als straf door de pest waren getroffen. Terwijl de slingerklok in de gang geduldig het begin van een nieuw uur afwachtte, stortte ik me vol ongeduld en huiver op het verhaal van een ter dood veroordeelde misdadiger, die met gebroken armen en benen in de loop van een kanon was gestopt en als een kanonskogel de lucht in was geschoten. Een recensent heeft, na het lezen van een van mijn eerste historische verhalen, ergens gezegd dat ik in de geschiedenis mijn toevlucht heb gezocht, om me te onttrekken aan de belangrijke vraagstukken van het heden.

En eerlijk gezegd, toen de historische fantasieën weer voor mijn ogen tikkertje begonnen te spelen, zodra ik *Sessiz ev* (Het stille huis) af had, scheen die gedachte mij juist toe. Laat ik dan tussen die lange romans door iets kleins schrijven, zei ik bij mijzelf, een novelle waarbij het verhaal zelf op het voorste plan staat, en waarmee ik me tijdens het schrijven zal vermaken en verpozen. En zo begroef ik me voor mijn ziener met plezier in boeken over natuurwetenschappen en astronomie. Het heerlijke en ongeëvenaarde werk van Adnan Adıvar, *Osmanlı Türklerinde İlim* (Wetenschap bij de Ottomaanse Turken), verschafte me de kleuren voor de sfeer die ik zocht. (Boeken van het soort van *Acaib-ül Mahlûkat* (De wonderen der natuur), met de verhalen over vreemdsoortige dieren, waar Evliya Çelebi ook zo gek op was, en landen, waarover geen geografische verhandelingen voorhanden waren, maar die uit verschillende boeken werden gereconstrueerd, enzovoort.) Gewild of ongewild, werden mijn helden besmet door de vraag van Kepler ('Waarom ben ik ik?') uit *De slaapwandelaars* van Arthur Koestler, met de kinderlijkheid van Leonardo da Vinci en zijn obsessie een ongelooflijk wapen te maken (de nimmer aflatende fantasie van mensen die branden van verlangen om anderen voorbij te streven en een lesje te leren), en met het feit dat Kâtip Çelebi zo'n hopeloze boekenwurm was (ik groet met liefde die patiënten, die wanneer er niemand in hun buurt is om pijn en genot mee te delen, zich hullen in een nog droevere schoonheid). De onduidelijkheid van de grens tussen astronomie en astrologie ging voor mij leven door Takiyüddins verloren gegane, maar ooit aan de Padisjah aangeboden *Wetenschappelijk memorandum over de staartster*, dat ik mijn held liet vinden met het doel het door hem te laten becommentariëren; het bestaan van dit memorandum kende ik overigens uit het boek *Istanbul Rasathanesi* (De sterrenwacht van Istanbul) van prof. Süheyl Ünver, die mij had laten kennismaken met de beroemde Ottomaanse astronoom Takiyüddin. In een ander boek schreef hij over de astrologie het volgende: 'De voorspelling in omloop brengen dat een orde zal instorten, is bepaald geen slechte weg om die orde inderdaad omver te halen.' Later heb ik in de geschiedschrijving van Naima gelezen, dat, zoals alle politici doen, de oppersterrenwichelaar Hüseyin Efendi dit principe van de selffulfilling prophecy als laatste redmiddel heeft proberen toe te passen.

Moe van al dat lezen dat nauwelijks een duidelijk ander doel diende dan het bijeensprokkelen van de kleuren voor mijn verhaal, had ik intussen een thema in handen gekregen dat wijdverbreid is in de wereldliteratuur en in het bijzonder in onze literatuur en ons leven: een held, die brandt van verlangen om goed te doen, om nuttig te zijn voor anderen! In dit soort romans waarbij de lezers voor de ene helft van de helden in adoratie tranen plengen en voor de andere helft de messen slijpen, belemmeren slechteriken boosaardig die van goedheid vervulde goede held. Daarnaast heb je de wat betere romans, waarin we lezen hoe de goeden langzaam aan door het kwaad waartegen zij vechten worden verzwolgen en omgevormd. Wie weet, misschien zou ik ook wel iets dergelijks gaan schrijven, maar ik kon op een of andere manier de bron niet vinden van 'het Goede', die bron van energie, kennis en vindingrijkheid die de held in actie doet komen. Mogelijk vanwege het feit dat wij in een land leven, waar de mensen zich niet zozeer tot verandering laten aansporen door boeken die ze lezen, maar veeleer door woorden die zij horen en door de bewondering die zij voelen voor anderen, besloot ik dat mijn ziener zijn 'wetenschap' zou leren van iemand die uit 'het Westen' was gekomen. De scheepsladingen slaven die uit die verre landen waren aangevoerd, waren hier geknipt voor. En zo was dan de heer/slaaf-verhouding geboren, die aan Hegel herinnert. Ik bedacht dat mijn Hodja en zijn slaaf alles aan elkaar zouden moeten vertellen en elkaar zouden onderrichten, er waren lange, lange gesprekken nodig, en ik plaatste ze in de donkere stad, in een kamer alleen met zijn tweeën. Daarmee werd ineens de geestelijke relatie en spanning tussen deze twee het basisgegeven van mijn verhaal. Toen ik eraan toe was om aan de helden van deze brokjes fantasie en stukjes verhaal, die ik met mijn kleurenpalet had opgesmukt, ook een lichaam toe te dichten dat hen door de bladzijden van de wereld in mijn boek zou laten rondwandelen, bemerkte ik dat er in mijn hoofd tussen de Hodja en zijn Italiaanse slaaf lichamelijk geen groot onderscheid bestond. Zo werd het idee van één identiteit geboren, of misschien was het ook alleen uit een gebrek aan verbeeldingskracht. Lezers die van literatuur houden en de literatuur kennen zullen direct uitroepen dat ik na dit moment niet zoveel fantasie meer nodig had, wilde ik de sprong maken naar dat beroemde thema van paren uit de schatkamer die literatuurgeschiedenis wordt genoemd: tweelingen, dubbelgangers, evenbeelden, die elkaars plaats innemen.

Zo kreeg mijn verhaal door de eisen van de interne logica, of misschien ook door de indolentie van mijn verbeeldingskracht onverwacht een geheel andere vorm, die mij zelf ook opwond. Ik was natuurlijk wel op de hoogte van het bestaan van de boeken gebaseerd op het dubbelgangerthema van E. T. A. Hoffmann, die overigens zelf op een goede dag, daar hij niet tevreden was met zichzelf en eigenlijk musicus had willen worden, de voornaam van zijn grote voorbeeld Mozart, gewoon aan zijn eigen naam toevoegde; en ook van de bloedstollende verhalen van Edgar Allen Poe, en van de tot rebellie aanzettende roman, in vertaling *De dubbelganger* genaamd, van Dostojevski, die ik in het laatste hoofdstuk heb gegroet met de legende van de epileptische priester in de Slavische dorpen. Toen ik, nádat *De witte vesting* was uitgegeven, in de bibliotheek van een Amerikaanse universiteit, waar ik rondsnuffelde om te zien in hoeverre ik deze lijst nog zou kunnen uitbreiden, het een en ander had gelezen over wie er in de literatuur zoal gewerkt had met dit tweelingen/evenbeeld-thema, was het of ik stikte. In een dergelijke situatie is misschien het beste wat men kan doen om weer een beetje lucht te krijgen, in de herinnering ophalen, wat men zelf heeft meegemaakt. Op de middelbare school ging onze biologieleraar er prat op dat hij de werkelijk vreselijk identieke tweeling in onze klas uit elkaar kon houden, maar tijdens de mondelinge examens ging rustig de ene helft van de tweeling in de plaats van de ander. Van de film *The great dictator* van Charlie Chaplin, had ik eerst imitaties gezien en daar was ik gek op, maar toen ik later de originele film zag, vond ik die lang niet zo mooi. Toen ik klein was, had ik grote bewondering voor de held van een prentenboek, met de naam 'Jan Duizendman' (*Binbirsurat*), die voortdurend van gedaante wisselde: als hij nu eens mijn plaats innam, wat zou hij dan doen? Als hij in een amateurpsycholoog veranderde, zou hij misschien zeggen: ach, in wezen willen alle schrijvers iemand anders zijn. Nog meer dan bij Hoffmann wordt de eigen zielsgesteldheid weerspiegeld in *Dr. Jekyll and Mr. Hyde* van Robert Louis Stevenson: overdag burgerman, 's nachts schrijver! Misschien zou mijn evenbeeld, in mijn plaats gekomen, het wagen mijn lezers eraan te herinneren dat mijn sterrenbeeld Tweelingen is, maar ik zou hem tot zwijgen brengen door te zeggen dat ik ergens heb gelezen dat hij niet in zulke dingen gelooft. Sommige lezers gaan nu zeggen, en terecht, dat ik hen wel voortdurend op het verkeerde been zet: allereerst laat ik Faruk mijn boek vinden en een voorwoord schrijven en dan weer moet ik aan het eind van het boek zo nodig zelf als auteur op de proppen komen. Aangezien helderheid mijn streven is, zal ik trachten enige opheldering te geven.

Of het manuscript van *De witte vesting* nu door de Italiaanse slaaf of door de Ottomaanse Hodja is geschreven, weet ik ook niet. Om enkele technische moeilijkheden te omzeilen waar ik tijdens het schrijven voor kwam te staan (onder andere het verschaffen van een aantal voor de lezer noodzakelijk verklaringen en onmisbare historische gegevens), besloot ik de verwantschap te gebruiken die ik voelde met een van de helden van *Sessiz ev* (Het stille huis), de historicus Faruk. Er is ook een stijl- en technisch probleem dat ik door middel van hem oploste: sommige lezers, die zich hebben gehouden aan het advies van een van de helden en het boek niet tot het einde hebben uitgelezen, (en is het niet een van de belangrijkste facetten van onze romantraditie, om meer dan aan de schrijver, geloof te hechten aan diens held), hebben iets gezegd over het bezwaar dat kleeft aan het vertellen van een verhaal door een Turk bij monde van een Italiaan. Cervantes, die ik groet in het eerste en in het laatste hoofdstuk van mijn boek, moet in zijn tijd op dezelfde weerstanden zijn gestuit. Immers dat *Don Quichotte*, dat hij schreef met gebruikmaking van een handschrift van de Arabische historicus Cide Hamete Benengeli (Seyyit Hamit bin Engeli), zijn eigen werk was, laat hij in de tekst, nogal doorzichtig, doorschemeren. Toen Faruk het manuscript, dat hij had gevonden in het archief van Gebze, dat degenen die *Sessiz ev* kennen zich zullen herinneren, net als Cervantes overzette in de taal van zijn landgenoten, moet hij ook een en ander uit andere boeken aan de tekst hebben toegevoegd. Aan de lezers die zich proberen voor te stellen hoe ik dan weer net als Faruk, in archieven heb gewerkt en heb rondgescharreld tussen de handschriften in de stoffige stellingen van bibliotheken, wil ik nadrukkelijk verklaren, dat ik mij het werk dat Faruk heeft verricht absoluut niet wil toeëigenen. Wat ik heb gedaan, was alleen maar profiteren van sommige bijzonderheden die Faruk al had gevonden. Ik heb ze verwerkt in het inleidende hoofdstuk dat ik Faruk heb laten schrijven, net als ik gedaan heb met die aloude transcriptiemethode, die ik had leren kennen uit de *Italiaanse kronieken* van Stendhal, die ik las, toen ik mijn eerste historische verhalen schreef, en waar ik gek op was. Misschien wende ik Faruk er zo alvast aan ook met betrekking tot de andere historische verhalen die ik later ooit nog eens zou schrijven, om in mijn dienst te werken – net zoals ik zijn grootvader Selâhattin Bey liet doen – en tegelijk werd ik gered van de risico's om de lezer zo van de straat een gekostumeerd bal in te duwen – het steeds op de loer liggende gevaar bij een historische roman. Ik besloot mijn verhaal in het midden van de zeventiende eeuw te situeren, niet alleen omdat dat historisch gezien goed uitkwam en het een kleurrijke en sprankelende periode was, maar ook omdat mijn helden zo het beste konden profiteren van de geschriften van Naima, Evliya Çelebi en Kâtip Çelebi; maar door het lezen van al die reiskronieken drongen er ook heel wat deeltjes van het leven in eerdere en latere eeuwen mijn boek binnen.

Om mijn goedwillende en optimistische Italiaan tot slaaf van de Hodja te maken, benutte ik een boek dat ooit aan Philips II was aangeboden door een anonieme Spanjaard, die een eeuw eerder (in de dagen waarin gekaapte schepelingen tot slaaf werden gemaakt, en de kwakzalverij hoogtij vierde), net als Cervantes, aan de Turken ten slaaf was gevallen. De in de kerkers doorgebrachte dagen van baron W. Wratislaw, die in dezelfde tijd als Cervantes galeislaaf op Ottomaanse schepen was, stonden ten voorbeeld aan het celleven van mijn slaaf. Ik raadpleegde de brieven van Busbecq, een Fransman, die weer veertig jaar vóór hen naar Istanbul was gekomen, toen ik schreef over de dagen van de pest (de angst voor de pest stak al de kop op bij een doodgewone steenpuist!) en over christenen die voor een veilig heenkomen uitweken naar de eilanden bij Istanbul. Middels getuigen van verschillende andere perioden dan die waarin mijn verhaal speelt, heb ik allerlei andere bijzonderheden bijeengegaard: zoals over de grote vuurwerken, en sommige Istanbulse taferelen en nachtelijke festiviteiten (bij Antoine Gallant, Lady Montagu, en baron de Tott); en in het geval van de geliefde leeuwen van de Padisjah en het leeuwenverblijf (Ahmet Refik); de veldtocht naar Polen in het *Viyana Kuşatması Günlüğü* (Dagboek van het beleg van Wenen) van Ahmet Ağa; ik verzamelde gegevens voor een aantal dromen van de kind-padisjah uit een ander boek over dezelfde materie, geschreven door Reşat Ekrem Koçu en door mij gelezen in de bibliotheek in mijn oma's huis: *Tarihimizde Garip Vakalar* (Vreemde gebeurtenissen uit onze geschiedenis); en las over de straathonden van Istanbul en de mogelijke maatregelen tegen de pest in Helmut von Moltkes *Brieven uit Turkije*; en voor 'de witte vesting', die het boek zijn naam heeft gegeven sloeg ik Tadeutz Trevanian, *Reizen door Transsylvanië*, erop na (in dit boek met gravures wordt behalve over de geschiedenis van de vesting ook gesproken over een roman die hij in zijn bibliotheek had, over de plaatsverwisseling van een barbaar met een Franse romancier).

Volgen dan nog een paar punten die aantonen dat toch niet iedere boekenwurm die wordt geleefd onder een laag dode aarde in een zo lang en diep ingedut land, dit alles had kunnen bedenken en ook dat het boek geen boek is, dat net zo goed door mijn tweede helft geschreven had kunnen worden: een getuige van het gekkengesticht in het gebouwencomplex van de Beyazit Moskee in Edirne en van de betoverende muziek die daar voor de patiënten werd gespeeld is natuurlijk niemand anders dan Evliya Çelebi, maar dat juweeltje van een gebouw, heb ik zelf met mijn vrouw op een van dooi modderige, bewolkte en uitgestorven lentemorgen, huiverend en met een gevoel van droefheid, ook gezien. De ooievaars waar de Padisjah zo opgewonden van raakte, ook. Verschillende van de dromen die de jager Mehmet zag en die mijn helden voor hem duidden, heb ik nieuw verzonnen (zoals bijvoorbeeld de duistere mannen met de jutezakken). En net als bij mijn Italiaanse slaaf, hebben ze mijn broer op een keer ook mijn nieuwe kleren aan laten trekken omdat zijn bovengoed gescheurd was, alleen was die broek niet rood zoals in het boek, maar blauw met wit. Als mijn moeder op koude winterochtenden op de terugweg naar huis van een wandeling, die ze met mij en mijn broertje had gemaakt, voor ons iets te eten kocht (geen helva, maar bitterkoekjes) dan zei ze altijd, net als de moeder van de Hodja: 'Kom we eten ze vlug op, voordat iemand het ziet.' Er is helemaal geen verband tussen de roodharige dwerg in het boek en de klassieker uit onze jeugd, *Kırmızı Saçlı Çocuk* (De jongen met de rode haren), of met de dwergen uit de andere boeken die ik heb geschreven of nog schrijven zal: ik heb hem in 1972 in de bazaar van Beşiktaş gezien. Ik had altijd gedacht dat het idee, zoals de Hodja van plan was, om een klok te maken die de gebedstijden zou aangeven, en die voor een langere tijd opgewonden kon worden en intussen niet bijgesteld zou hoeven worden, één van míjn puberale fantasieën was, maar ik schijn me te vergissen. Veel mensen bleken geïnteresseerd in dat plan, waarvan het me verbaast dat het tot nu toe nog nooit is gerealiseerd; wel zei iemand me dat de Japanners een dergelijk polshorloge hebben gemaakt, maar ik heb het nog nooit gezien.

Misschien moet het nu dan toch echt gezegd: al is het Oost-West-onderscheid als een van de classificaties die gemaakt zijn en die te maken zijn om mensen en culturen van elkaar te onderscheiden nog zo goed van toepassing op de werkelijkheid, het is natuurlijk absoluut niet het onderwerp van *De witte vesting*. Als men bedenkt dat Faruk met die inleiding, die hij in een slechte stijl en vanuit zeer middelmatige waarnemingen en emoties op papier heeft gezet, geen enkele lezer zal kunnen bedotten, is het verbazingwekkend dat niet alleen boekenhelden maar ook boekenlezers zich in die mate blijken bezig te houden met het Oost-West-onderscheid. Hier moet natuurlijk wel dit aan worden toegevoegd: als dit onderscheid niet al eeuwenlang voor zoveel opwinding had gezorgd en in dit licht tal van observaties waren gedaan, tal van pagina's geschreven en niet al tal van waanideeën waren geloofd, dan had dit verhaal ook een groot deel van de kleuren die het bepalen, niet kunnen vinden. Om de pest als een lakmoespapiertje te gebruiken voor het onderscheid Oost-West, is al een oud idee. Baron de Tott zegt het ergens in zijn memoires zo: 'De pest laat een Europeaan lijden, en een Turk sterven.' Zo'n observatie is voor mij niet zo maar nonsens en ook geen wijsheid om mee te pochen, het is alleen maar een kleur die ik kan gebruiken in een fictief avontuur, waarvan ik in de voorgaande pagina's heb geprobeerd het kleine beetje aan geheimen dat het bevat, prijs te geven. Misschien kan het dienen om de schrijver een verleden en een boek, waar hij van houdt, in herinnering te brengen, maar over hoe kleuren worden gevonden en bij elkaar worden gebracht, valt eindeloos te verhalen.

Orhan Pamuk
Juli 1986

Aantekeningen

De cijfers voor de noten verwijzen naar de pagina waarop de noot betrekking heeft.

5 *Nilgün Darvınoğlu (1961-1980)* – de opdracht is gericht aan een gefingeerd persoon, en wel een van de hoofdpersonen uit een eerdere roman van Orhan Pamuk, *Sessiz ev* (Het stille huis). Ze is een sociologie-studente en is links-revolutionair. Ze wordt in elkaar geslagen in de roerige tijd voor de staatsgreep van september 1980 en overlijdt aan haar verwondingen. De opdracht doet dan ook sterk denken aan een grafschrift. Verder komt zij niet voor in *De witte vesting*.

7 *Yakup Kadri Karaosmanoğlu (1889-1974)* – de Turkse vertaling van het Proust-citaat (in het Nederlands vertaald door Veronica Divendal) is van de hand van een van de grootste Turkse schrijvers van deze eeuw, interessant ook daar hij leefde en schreef in zowel de laatste Ottomaanse periode van de sultans, als tijdens de nieuwe Republiek. Hij was nauw betrokken bij die Republiek, net als vele andere intellectuelen. Zo was hij parlementslid van het eerste parlement, en consul in Tirana, Praag, Den Haag, Bern; daarna was hij weer parlementslid.

10 *Mehmet Fuat Köprülü* – grootvizier (eerste minister) van 1656-1683.

10 *Mehmet IV* – de Kind-sultan die in dit boek zo'n grote rol speelt, zijn sultanaat duurde van 1648-1687. Hij was zes jaar oud toen hij sultan werd gemaakt.

10 *Naima*–Ottomaans geschiedkundige uit de zeventiende eeuw (1655-1716). Schreef onder andere over de periode van Mehmet IV, de sultan van dit verhaal.

10 *Evliya Çelebi*–zeventiende-eeuwse Ottomaanse reiziger (1611-1682). Geboren in Istanbul. Schreef een tiendelige reiskroniek van zijn vele reizen met name door het uitgestrekte Ottomaanse rijk. Hij bezocht tal van plaatsen en gebieden en beschreef zeer veel aspecten: geschiedenis, aardrijkskunde, taal, folklore, biografische en sociologische zaken, en over het dagelijkse leven van de plaatselijke bevolking.

12 *Faruk Darvınoğlu*–de inleiding is geschreven door een fictief personage: Faruk Darvınoğlu. Hij is de oudere broer van Nilgün Darvınoğlu uit *Sessiz ev*. Orhan Pamuk beschrijft daarin hoe Faruk elke zomer in Gebze een week in het 'archief' gaat scharrelen. Het is namelijk zijn grote wens een verhaal te schrijven, maar omdat hij niet in staat is een echt verhaal uit zichzelf te schrijven, hoopt hij door veel over te schrijven uit al die oude stukken, op een dag vanzelf zijn verhaal te hebben. Hij is historicus, ontslagen aan de universiteit vóór september 1980. Hij is alcoholist.

Behalve als inleider en als zogenaamd 'herschrijver' van het oude manuscript in modern Turks wordt hij verder niet meer genoemd in dit boek.

17 *de sultan*–de benaming sultan wordt afgewisseld met Padisjah. Padisjah betekent koning, vorst, hoogheid, en is een aanspreektitel voor de sultan; het is de benaming die men in het dagelijks taalgebruik hanteert als men het over de sultan heeft. Ook in de oude koningskronieken en in sprookjes wordt de heerser naast koning of sultan, Padisjah genoemd.

17 *Sadik Pasja*–pasja is de aanspreektitel van een generaal, legeraanvoerder, admiraal. Uiteindelijk werd het een soort algemene statustitel voor een zeer Hoge Heer.

24 *Hodja*–leraar, meester, oorspronkelijk in godsdienstige zaken, algemeen gebruikt als aanspreektitel voor onderwijzers, leraren, docenten en ook wel ruimer voor iemand die gestudeerd heeft of bekend staat om zijn wetenschappelijke kennis.

36 *Muvakkithane*–getijdenkamer in een moskee, waar de tijden voor de gebeden (*namaz*) en voor de ramadan en feestdagen worden bepaald naar de stand van de zon.

51 *Janitsaren*–soldaten uit het leger en de lijfwacht van de sultan. Vele van hen werden als jonge kinderen uit de christelijke Balkangebieden gehaald. Ze kregen een islamitische en zeer strenge opvoeding aan het hof van de sultan en waren diens trouwste soldaten die een zekere persoonlijke macht konden ontwikkelen en zodoende een belangrijke rol speelden in de politieke verwikkelingen en de intriges.

113 *Sjeik-ul-islam*–de opperste handhaver van het islamitische canonieke recht.

164 *Doppio*–de naam van de witte vesting. Doppio is Italiaans en betekent 'dubbel'.

Lees ook van Orhan Pamuk:

Sneeuw

De dichter Ka, die twaalf jaar als balling in Duitsland heeft gewoond, keert terug naar Turkije. Hij raakt verzeild in het noordoosten, waar de winters ijzig koud zijn. In de grensstad Kars doet hij een onderzoek naar de lokale verkiezingen, en ook over de golf van zelfmoorden die zich voordoet onder vrome jonge meisjes is hij van plan een reportage te schrijven.

In de aanhoudende sneeuw doorkruist Ka de stad – die inmiddels door de zware sneeuwval voor enige dagen van de buitenwereld is afgesloten. Bij zijn omzwervingen komt hij in theehuizen waar een leger van werklozen de tijd zit te doden, hij ontmoet een merkwaardig toneelgezelschap met politieke aspiraties, hij spreekt jonge vrouwen die zelfmoord overwegen als pressiemiddel om op school de hoofddoek te mogen dragen en hij ontmoet de charismatische, ondergrondse islamistische leider Indigo.

Ka raakt verstrikt in een web van leugens en roddels, maar tijdens zijn verblijf in hotel Sneeuwzicht, dat wordt gedreven door meneer Turgut en diens mooie dochters Ipek en Kadife, voelt hij dat ook voor hem het geluk weggelegd zou kunnen zijn.

* *Sneeuw* is behalve een verontrustend boek over politiek en religie [...], rationaliteit en islamisme, ook een meeslepend en geestig boek. – *Trouw*
* De belangrijkste roman die wij, in Europa, nu kunnen lezen. – *de Volkskrant*
* Pamuk is een geniaal verteller. – *Vrij Nederland*

Istanbul

In een schitterend weefsel van geschiedenis en observaties over mensen, plekken en kunst tovert Orhan Pamuk ons zijn stad voor ogen. De grootse stad die zijn verbeelding gevormd heeft. Aan de hand van de wederwaardigheden van zijn excentrieke familie laat hij Istanbul zien als een stad vol vergane glorie, die uitgroeit tot een drukke moderne metropool op het kruispunt van Oost en West.

Tegen de achtergrond van afbrokkelende monumenten, aftandse villa's en krioelende steegjes en waterwegen zien we een rijke cast aan kunstenaars, journalisten en historici die bouwen aan het nieuwe zelfbeeld van Istanbul. En samen met een dagdromend jongetje dat later de auteur zou worden van dit meesterlijke boek, beschouwen we het spektakel van publieke en persoonlijke drama's, het grote openluchttheater dat Istanbul was en is.

* In een betoverende mengvorm van zelfportret en portret van een stad kijkt Orhan Pamuk achter de schermen van Istanbul recht in haar en zijn ziel. – *Vrij Nederland*
* Een briljant geconstrueerd boek [...] een betoverende elegie voor een stad waarmee hij de hele wereld aan zijn voeten zal krijgen. Dit moet gelezen en herlezen, puur voor het genot. – *The Guardian*

De heer Cevdet en zonen

De heer Cevdet en zonen is Orhan Pamuks debuutroman, nu voor het eerst in het Nederlands vertaald.

Het verhaal begint in 1905, aan het eind van het bewind van de Ottomaanse sultan Abdülhamit de Tweede, en geeft een prachtig beeld van Istanbul en zijn inwoners door een kleine eeuw heen. Cevdet, een van de eerste moslimkooplieden, handelaar in lampen en ijzerwaren, staat op het punt met Nigân te trouwen. Hij droomt ervan zijn zaak uit te breiden en fortuin te maken, een gezin te stichten en met zijn familie een modern, op westerse leest geschoeid leven te leiden. De koopman, telg van een familie uit de provincie, slaagt erin een flink kapitaal te vergaren en de gedroomde plek te veroveren als vooraanstaand burger in de nieuwe wereld van de republiek Turkije. Aan de hand van de wederwaardigheden van Cevdet, zijn kinderen en zijn kleinkinderen (met name zijn kleinzoon Ahmet) wordt er een beeld geschetst van het proces van modernisering in het twintigste-eeuwse Turkije. De roman eindigt in 1970.

Pamuks debuut heeft de vorm van een klassieke negentiende-eeuwse familiekroniek, waarin de thema's uit zijn latere werk al ingenieus aangeraakt en bespeeld worden. Met deze roman legde Pamuk een stevige basis voor zijn latere werk.

De Turkse pers over *De heer Cevdet en zonen*:
* Een roman die een periode beschrijft op een manier die je niet vaak tegenkomt. – Selim Ileri [auteur]
* Een bewonderende groet aan het nieuwe lid van de literaire wereld. – Konur Ertop [literair criticus]